TAIWAN EYES

GUIDE FOR
台湾文創
TAIWAN BUNSO

衍序規劃設計（P008）が「現代デザインと民間信仰をまたいだ都市の祭典」というテーマでディレクションした、桃園の伝統芸術イベント「大溪大禧」。

台湾カルチャーが導く、
新しい時代。

2020年1月11日、私は台北の松山区にある居酒屋にいた。店内のテレビには過去最多の得票数で蔡英文氏が総統に再選したニュースが流れ、壁には候補者の名前をなぞったこの日限定のメニューが並んでいる。隣のテーブルについた品の良い老夫婦が、首から手の甲までタトゥーのある店員に声を掛けて談笑している。その店員は「りしれ供さ小※」のTシャツを着て、iPhoneでFacebookを開いていた。

私はこの夜のワンシーンを、映画館で超大作の映画を見終えたときのように、今でもはっきりと憶えている。

その後、台湾では歴史的な出来事が次々と起こってきた。李登輝元総統の死去や超高齢化社会による人口減少の始まり、高雄市長のリコール、誠品書店敦南店の閉店など、彼らは持ち前のユーモアに溢れウィットに富んだスタイルでこれらを乗り越えてきた。そして、その間、新型コロナウィルスを見事に押さえ込み、世界中から「コロナ対応の優等生」と称された。

台湾では今、国内旅行のムーブメントが起こっている。昨年、台湾では年間約1700万人が海外旅行に行き、その内の約500万人が日本に来ていた。現在は、日本を含め海外に行くことのできないフラストレーションを国内旅行で解消しているようだ。図らずも、2019年は台湾では「地方創生元年」が宣言され、台湾のローカルなエリアの情報が国内外に発信されていた。そのため、台湾の魅力を再発見した台湾人も多かったという。一方、日本では国内旅行ですら未だ自由することができていない。世界中で海外旅行がリスタートするとき、これまでの日本の「おもてなし」は台湾人に響くのだろうか。

旅行だけにとどまらず、2020年を境に、私たち日本人の目に映る「台湾」は大きく変わっていくだろう。そして、そこには本書『TAIWAN EYES Guide for 台湾文創』で紹介する51組、前書『TAIWAN FACE Guide for 台湾文創』で紹介した50組がメインキャストとして、クリエイティブとカルチャー（文創）を合言葉にさまざまな仕掛けを施しているに違いない。

本書監修・WEBマガジン「初耳／hatsumimi」代表（P156）**小路輔**

※**りしれ供さ小** 台湾語の発音に、日本語と中国語の発音をあてたネットスラング。「何言ってんの？ おまえ」という強い意味の言葉で、総統選のときには政治的なメッセージを込めてTシャツなどのグッズも作られた。

CONTENTS

CONTENTS

※本書では、中国大陸からの移民が盛んになる17世紀以前より台湾に居住していた少数民族については、台湾でも一般的に使用されている「原住民」という表現を用いています。

松山空港の近くにあるレストラン、
貓下去敦北倶樂部（P040）はユニ
ークなメニューと美味しいお酒が
楽しめる、社交の場となっている。

劉真蓉

リュウ ヂェンロン

「衍序規劃設計／ BIAS Architects」総監督

キュレーションで
都市の新たな価値を
発掘する

大学では景観学を専攻し、卒業後はオランダのベルラーヘ・インスティテュートで建築を学ぶ。建築学の背景を生かし、従来とは異なるキュレーションの手法を確立。総監督を務める衍序規劃設計／ BIAS Architects（バイアスアーキテクツ）で、公共機関や自治体とも提携し、都市を舞台にした大型展や伝統行事を現代に合わせて再構築するプロジェクトなどを手掛ける。

徹底的な探索で論理的な枠組みを構築
確立させた新たなキュレーションの形

Q. 今のお仕事について教えてください。

A. 私は明確な目標を必ず設定します。何もないところから作るのではなく、その背景を説明するという探索を通じて、多様な観点から統合を図り、しっかりとした構造で概念を表現します。この期間、進捗状況やメンバー一人一人がちゃんとレールに沿って仕事を進めているかの確認も必要になります。都市の脈略や文化の姿を整理し手元の使える資源を活用して、イベントや展示、あるいは空間を最も目標に合った姿形で表現するようにしています。

Q. 仕事をする中で最も重視していることは何ですか？

A. 真相をとことん追求する性格で、よく疑問を投げかけます。チームのメンバーにも批判的な思考を持ってもらいたいと思っていて、常に根拠とそれをやる意味を見つけてほしいと願っています。空間でも展示でも、物事の本質を変革させることが目的なので、表面的なものではなく他者を納得させられるものでなくてはならないし、自身で責任も負わなければならないと思っています。

Q. コラボレーションの経験などはありますか？コラボする相手を選ぶ基準は？

A. こちらからコラボを要請する場合もあれば、相手から声を掛けられる場合もあります。私は異なる領域の方にプロジェクトに参加してもらうのが好

1 お茶にまつわる特別展「Tea Wave 茶香流動展」では顧瑋さんとコラボし、台湾茶の魅力を紹介した。

きで、今までの協業相手に共通するのは挑戦とブレイクスルーを好むということ。目標に向かってみんなで話し合い、それぞれの専門を十分に発揮する。これが互いを刺激し合う良いぶつかり合いだと思うし、毎回違う領域とのコラボを楽しんでいます。

以前、コラボのお話をいただいたのは、食品業界で幅広く活躍する顧瑋さん。お茶に関する特別展を歴史建築の中でやるというものだったのですが、実はお茶に詳しくなかったんです。どうしたら人々に興味を持ってもらえる展示になるかというのは大きな課題でした。なので顧瑋さんのお茶へのこだわりと研究を基に、私は展示でどのように表現するかということで統合の専門性を発揮し、茶文化を親しみの感じられる方法で展示するように考えました。

Q. 注目している人はいますか？

A. 一人は先ほど話した顧瑋さん。大好きな友人です。食べ物の科学の研究者と呼べるほど、彼女の手から生まれた食べ物には説得力があり、感激させられます。例えば彼女が手掛ける「COFE」から台湾茶チョコレートのシリーズが出たのですが、彼女は台湾の8大茶を発酵の度合いによってさまざまなチョコレートに仕上げたのです。まさに茶文化を科学で、食べることによって体験してもらうことに成功したと言えるのではないでしょうか。

そしてもう一人は屏東のチョコレートブランド「福灣莊園巧克力」（福湾チョコレート）の許華仁さん。台湾カカオの栽培を研究していて、世界的な賞を獲りました。彼の功績はこれ以外に、ビンロウ栽

2 2018年に陽明山の麓にあるアートスペース・郊山友台27Mで開催された繞森山展では、聴覚、触覚、味覚、体感を手がかりに、山や森から集めた要素を再構成した。写真は吊るされた陶片の触れる音色が涼やかな聴森山の展示。

培が中心だった台湾南部の農業文化を変革させて、「食べる」ということをより人々の生活に近いものにしたというところにもあると思います。これを世界に示したという台湾の食文化のパワーに強い感動を覚えました。

価値を発掘し、都市をブランディング
創意ある展示で生まれる永続的な効果

Q. ライフスタイルについて聞かせてください。

A. 仕事からいろいろ学ぶと同時に、家で家族と過ごす時間も大事にしています。子供が成長する一

歩一歩の過程を見たり、一緒に遊んだり、お絵かきしたり……。家は山に囲まれている場所を選んだので、起きると山や森が目に入ってきて自然に囲まれている幸せを感じることができます。週末は夫や子供と一緒に家庭菜園をして、植物を育てる楽しみを味わいます。家にはいろいろな植物があって、植物をいじったり掃除したり、動物を観察したりしながら一日が過ぎていくのですが、これらの時間は忙しい日々の中でとても重要で、生活のバランスを保ってくれるのです。

Q. あなたにとって「文創」とは？

A. 「文化と創意」というのは実は日本のほうが台湾より早く成熟したと思います。メディアでも商品でも、文化的なものが良質にラッピングされれば経済効果が自然に生まれ、一連の経済的な循環につながります。近年の台湾では「文創」は少し違った声を持つような気がしていて、本質的な新たな行動による新しい意識の喚起が必要なのだと個人的には思います。

Q. 文創と今の活動の関わりについて聞かせてください。

A. 私たちの仕事は、ある物事自体が持つ価値の発掘です。新たな位置付けを通じてよりはっきりし

3 チーフキュレーターを務めた2019年の臺灣文博會主題館で上演された「演變舞台」。伝統と現代性が見事に融合したパフォーマンスが披露された。**4** 2019年の臺灣文博會では「Culture On the Move」をテーマに、伝統的な舞台芸術を取り入れ、伝統と現代をつないだ。

た定義を見つけるのです。例えば、桃園の伝統的なイベント「大溪大禧」のプロジェクトでは、「現代デザインと民間信仰をまたいだ都市の祭典」という新たなテーマを設けました。文化がコミュニティーに与えた影響が大きい時、その都市はブランディングのチャンスを得ます。そして間接的な観光振興につながる。土地の文化のアウトプットは創意と文化を一体化させ、永続的な経済活動に導くのです。そして伝えたい概念の定義がはっきりしたとき、そのコミュニケーションは共鳴と求心力を生み、宗教文化に畏敬の念を抱かせるのです。

　私たちは準備に十分な時間をかけ、関心を寄せるべき意識をはっきりさせます。概念をきちんと理解してもらえた時、異なる領域の人々とのコミュニケーションではそれぞれの専門が自然に発揮され、目指すべき課題に向かって話し合いができるようになるのです。

Q. 今後の展望は？

A. 2020年も「大溪大禧」のプロジェクトに携わります。ただ、新型コロナウイルスの影響で、巡礼イベントは規模を縮小するかオンラインの方法になると思います。でも都市の文化のパワーを創造したいと思います。それから、10月の新竹の都市デザイ

ン展の準備にも取り掛かっています。もっとより多くの歴史豊かな街の姿や都市のデザインを見てもらえたらと思います。

衍序規劃設計／BIAS Architects
イェンシュグィファシャジー

ADD 台北市士林區福志路11號
TEL +886-2-2836-6320
WEB https://www.biasarchitects.com/
SNS 🅕 @BIASArchitects

5 關聖帝君の生誕日を祝う桃園のお祭り「大溪大禧」のプロジェクトでは、伝統的な行事を現代的な方法で解釈し、地元の持続可能なブランドの作成を目指している。**6** 大溪大禧で練り歩く道教の神様、雷公と電母の衣装は、国際的なファッションデザイナー・陳劭彦氏がデザインしたもの。

Danny Yang

ダニー ヤン

楊豐旭 ヤン フォンシュ

「在欉紅／red on tree」「九日風」
エグゼクティブシェフ

果物は
台湾という
土地の記録である

台湾南部の嘉義市出身、国立台湾大学で農業や食品加工について学んだ楊豐旭は、2011年にジャムを中心とするフルーツ製品のブランド「在欉紅」を創立。台湾産の新鮮な果物を使ったこだわりの製品作りで注目を集める。2014年頃からカカオ豆の研究を本格的にスタートし、チョコレート製品のブランド「九日風」の新たなプロジェクトも進行中だ。

生活とはただ日々を過ごすことではなく、
食事も満足感を得るためのものではない

Q. 現在のお仕事について、内容やコンセプトを教えてください。

A. 「在欉紅／red on tree」は台湾の農産物、特に果物にスポットライトを当て、そこからスタートしたブランドです。果物というのは風土を凝縮したもの、経度や緯度による土壌の違い、日光、雨、風といった地理上の特徴を記録したものだと捉えています。在欉紅ではジャムの一瓶一瓶に台湾の四季の果物を凝縮しているわけです。ですからエグゼクティブシェフとしての僕の仕事は、この土地の美しさを一番いい形でみなさんにお届けする、ということになりますね。

Q. 仕事をする上でのマイルールは？

A. 誠実であることです。製品に対しては、新鮮な果物と最も純度の高い氷砂糖を使い、余分な香料などを一切使わないこと。すべてのジャムに果物本来の味を閉じ込めることです。農家の人々に対しては、公正な取引で直接購入することで、農家の方たちの労働に見合った価格を支払うこと。またお客様に対しては、過大な広告活動はせず、私たちのしていることを正直に伝えること。すべてに対して誠実であることが何よりも大切です。

Q. これまでの経歴を教えてください。

A. 大学時代に農業と食品加工を学んだ後、台湾を出て、さまざまな国の農産業界や食品実験室など

1

1 職人が厳選された果物を使って作った在欉紅のジャムは、ひと瓶ずつ丁寧に詰められていく。

で仕事をしてきました。だから私は厨房だけでなく、土地そのものに親近感を抱いているんです。農業に関する共通言語があるので、農家とのコミュニケーションもスムーズですし、さまざまな果物のシーズンや品種を選ぶ上でも、正確な判断ができています。また実験室で仕事への厳しい姿勢を学んだのですが、それは商品の製造プロセスを決める際に役に立ちました。

Q. プライベートのライフスタイルは？

A. 仕事以外で好きなことも、やっぱり飲食とは切り離せないものばかりです。趣味は旅行なのですが、スケジュールを決める時のポイントは、まず現地の市場や、レストランに行くことを最優先しています。映画鑑賞や読書も好きですが、やっぱり食関連の作品を選んでいますね。僕にとっては飲食は生活の一番大事な部分で、愛してやまない仕事でもある。だから仕事とプライベートは切っても切れない関係なんですね。

Q. あなたにとって文創とは？

A. 生活とはただ日々を過ごすことではないし、食事もただ満足感を得るためのものではありません。僕たちはお客さんに風土、風味、ひいては台湾の食文化といったものを理解してもらいたいと思っています。文創もまた、創造性を追い求めるだけのものではなく、伝統を受け継いでいくことでもあると思います。ただ台湾で文創というと、時として海外の料理やスタイルを既存の製品にプラスしただけのものになりかねません。それでは本末転倒ですよね。新しいスタイルに臨む前に、まずは伝統の核となる価値を理解するのが先ではないでしょうか。

　食文化に携わる者として、僕らが作るすべてのジャム、デザート、シェフが作るすべての料理、バーテンダーが作るお酒にいたるまで、その一つ一つに込める思いは、お客さんにお腹を満たしてもらいながら、食文化への理解を深めてもらいたいということです。「本場の」とか、「風土」、「風味」といった言葉は、マーケティングやプロモーション上だけでなく、実際の生活の中で体現されるべきものだと思うのです。

2

3

Q. 今後の展望について聞かせてください。

A. いまのところは製品作りに力を注ぎたいと思っていますが、将来的には企画展示や出版物の刊行、講座を開いて食や農業に関する知識を伝えていきたいですね。また2014年から「九日風」というチョコレートのブランドを立ち上げ、2018年には店舗もオープンしました。在欉紅では台湾現地の素材にこだわっていますが、九日風ではその枠組みを破り、世界各国の食材と組み合わせて、オリジナルのスイーツを作りたいと思ったからです。2021年には、九日風のチョコレートをさまざまなスタイルで表現する店舗とは違った新たなスペースをオープンする予定です。

0
1
3

在欉紅／ red on tree
ザイツォンホン

ADD 新北市新店區北新路三段213號1樓
月〜金：9:00–18:00 土日休

TEL +886(2)8911-5226

WEB http://redontree.com/

九日風
ジゥリーフォン

ADD 台北市大安區和平東路一段75巷1號
水〜日：12:00–19:00 月火休

TEL +886(2)2321-0077

WEB https://leventetlesoleil.business.site/

2 2018年に立ち上げ、店舗を構えたチョコレートブランド・九日風。今後はチョコレートでさまざまなスタイルを表現するスペースをオープン予定。**3** 原材料となる果物を公正な取引で直接購入することで、農家の方たちの労働に見合った価格を支払っている。毎年必ずチームで産地を訪れている。

詹巽智

ヂャン シュンヂー

「詹記麻辣火鍋」二代目オーナー

陳米奇

チェン ミィチー

「詹記麻辣火鍋敦南店」店長

台湾ソウルフードを
もっと楽しく

台北人のソウルフードともいえる火鍋の老舗人気店。同店2代目で元デザイナーの詹巽智（左）と、元ミュージシャン陳米奇（右）の店長がタッグを組み、2019年に火鍋店の概念を覆すレトロポップな新店舗をオープンした。いまやおいしいのは当たり前。台湾グルメを新たなステージにステップアップさせた2人は、ステキな家庭人でもあった。

おいしくて楽しくてクリエイティブ
台湾火鍋の新しいスタンダードを目指して

Q. 現在のお仕事について、内容やコンセプトを教えてください。

A. 「僕はお店で提供する食事の品質管理全般を担当しています。鍋のスープの濃淡、塩加減、香りが正確かどうか。鍋の具材は新鮮に保たれているかを確認します。それと同時に僕の重要な使命は、台湾ならではの食材で、かつこの店の鍋に合う食材を探すこと。父の品質に対するこだわりを引き継ぎつつ、さらに食材の作り方に対する理解を深め、新しい食の可能性を開発することです」（詹さん）

「僕は新しくオープンした敦南店の店長としてお店の管理を任されています。いま会社の方針は、"おいしくて楽しいブランドを創造すること"なので、お店の管理をしながらも、火鍋の新しい可能性を広げようとしています。食事のイメージを一新するような試みを続けていきたいんです」（陳さん）」

Q. 仕事をするうえで重視していることは？

A. 「仕事では正確な論理的思考と段取りが最も重要ですね」（陳さん）

「飲食店を経営していると、いろいろな状況が起こりえます。何かトラブルがあったら、できるだけたくさんの人の話を聞いて、文脈をしっかりとらえてから最後に管理職として判断します。なぜなら信用が一番大切だからです。自由で柔軟な仕事も、しっかりした信頼が基礎となっていなければうまくい

1

1 本事空間製作所（P070）がデザインを手がけた敦南店。二人の「おいしくて楽しいブランド」のイメージを体現したレトロポップな空間となっている。

きません。その点、僕たちはうまくいっていると思いますよ。何か話し合う時でも、米奇は理性的に、僕は感性寄りに考えるので、お互いをうまく補っていると思います」（詹さん）

Q. あなたにとって文創とは？

A. 「文創はクリエイターなりアイディアを持っている本人に忠実であるべきですよね。自身の経験と美的感覚からアイディアを引き出し、伝統的な古いものの中から、新しい作品や考え方を創造する。それでこそ誠実だと言えるし、ほかのブランドとも違いが出てくるのではないかと思います」（陳さん）

「詹記を例にとれば、僕たちは心の底から音楽や芸術、デザインが好きなので、火鍋店のデザインにも、僕らの足跡のようなものがあるわけです。例えば店内で流れている広告ソングがあるんですが、あれは顔社／KAO!INC.（P154）という音楽レーベルの李英宏 aka DJ Didilongというラッパーとのコラボ作品です。小北百貨という地元のディスカウントストアで買い物していたら、フロアごとにおすすめ商品を放送していて、かっこいいなと思ったのがっかけ。お客さんに火鍋を食べながら、台湾式の広告や笑える歌詞を聴いてもらう。小さい仕掛けなので気づかない人もいるかもしれませんが、詹記が表現したい『クラシックな台湾』のイメージを増す演出なんですよ」（詹さん）

Q. 現在の台湾についてどう思っていますか？

A. 「僕らより下の世代の若者が、"台湾"を強烈に意識して、台湾人であることを誇りに思っている

のは嬉しいです。"台湾らしい"と言われて気分がいいというのは、僕らの世代と違う感覚なんですよね」（陳さん）

「台湾人は歴史的背景から、常にアイデンティティを探す宿命を背負っています。そういった部分をにインスピレーションを得てもいいのではないかと思うんです」（詹さん）

Q. 休日はどんなふうに過ごしていますか？

A. 「子供ができてから自分の時間はほとんどないけど（笑）、オモチャとか自転車、観葉植物とか洋服を買うのが好きなんです。植物だったら台北の樹園藝、洋服だったらSYNDRO（P038）とか、好きなお店のオーナーの知識や熱量に触れられるのも買い物の楽しみです」（陳さん）

Q. 今後の展望について聞かせてください。

A. 「父が開業した時には健康を顧みる余裕もなく仕事にまい進しましたが、僕たちは家庭、健康、事業のバランスを取れたらいいですね。もちろんそのためにも、お店で働くすべての人を守ることが大前提です（詹さん）」

詹記麻辣火鍋 敦南店
ヂャンジーマーラーフォグォ ドゥンナンデェン

ADD 台北市大安區和平東路三段60號
12:00–14:30 ／ 17:00–AM1:00　無休

TEL +886(2)2377-7799

SNS ⓞ chanchihotpotlab

---

2 火鍋の美味しさはもちろんお店としての面白さと魅力から、なかなかオンライン予約が取れず、当日受付も行列必至。**3** 台湾産の原材料を使ったビールメーカー・禾餘麥酒とのコラボでイベントにも出店した。

Wes

ウェス

郭庭瑋 クォ ティンウェイ

「EMBERS」シェフ、共同出資者

台湾料理を通じて
土地の文化を伝え、
発展させていく

台北出身。ナイトマーケットで日本料理の屋台を出し人気を得る。その後、食材にこだわったレストラン「好福食研室」をオープン。食材の起源の探求を極め、2020年春には台湾料理を独自に昇華させた創作料理を提供する「EMBERS」を誕生させる。

1 落ち着いた雰囲気の店内でゆっくりと食事を楽しめる。

土地が育んだ食材、文化から生まれた料理
食器や空間も全てを未来に残したい

Q. お店のコンセプトについて教えてください。

A. 台湾料理と飲食体験を主軸に、料理を通じて土地の文化を伝承し、発展させていきたいと考えています。ここの料理や食器、空間までも10年後、もしくはそれ以上残るものにしたい。食物で建築や空間を構築したいのです。また、来店客にも食べ物に対する固定観念を取り去ってもらい、体の感覚で食事という体験を楽しんでもらいたいと思っています。

そして、この店の前身となった「好福食研室 Good Food Lab」での、食材の起源の探求という精神も引き継いでいきたいです。「食べ物の研究室」という意味で名付けたのですが、同時に「好」は良い、「福（中国語でフー）」は英語の「Food」とかけているので、Good Food（良い食べ物）という意味となるわけです。ですから、人々にここで天地が育んだ良い食べ物と良い食材を味わってもらいたいです。土地と共に歩めば、山、川、湿地、水田があり、その豊富な姿は異なる地域でそれぞれ発展します。地域の人文や生活と触れることでもさまざまなインスピレーションが得られるので、料理を通じてこれらの考えを人々に伝えていきたいと思っています。

Q. 仕事をする中で最も重視していることは何ですか？

A. 「自己認識」を繰り返すことです。料理で言えば、自分の創作した料理の食材や概念をちゃんと考える。つまり、何のためにこの料理を作るのか明確にすることを大切にしています。そして、シェフは中国語で「厨師」といいますが、「師」が付く職業を

1

肩書きに持つ料理の専門家として、人々に伝えるべき味覚や知識と向き合い、食材がたどった道をさかのぼり、台湾料理のより多くの可能性を広げていくことを目指しています。

Q. これまでの経歴について教えてください。

A. これまで経験した仕事は、どれも似たような内容だと思います。昔は士林夜市で日本料理の屋台を出していました。好評でしたが、だからこそ自身のエネルギーも激しく消耗してしまいました。なので、食材と料理の関係を探る形への転換を図ったのです。それから、食材の起源をさかのぼるという答えにたどり着き、研究室のような「好福食研室」を始めました。そして今年3月、台湾の食文化に新たな形の提案をしようと「EMBERS」をオープンさせたのです。

Q. コラボレーションの経験などはありますか？コラボする相手を選ぶ基準は？

A. 共通の価値観を持っているかどうかということが協業の相手選びの条件です。自動車メーカーのランドローバーのCM撮影プロジェクトに参加したんですが、台湾の美を探索したいというのが主軸で、食べ物の「ハンター」として産地のストーリーを発見し、料理を通じて台湾の味を解き放つというもの

でした。作品を通じて共感してもらえればと思います。

Q. 注目している人はいますか？

A. 食品業界で幅広く活躍する顧瑋さん。台湾の食品を販売する「土生土長」やカフェ「COFE」、雑誌「米通信」、レストラン「泔米食堂」を手掛けてきた彼女の台湾の食文化や各地の物産に関する知識はウィキペディアに近いと個人的には思っていて、推進と研究に全身全霊を注いでいます。彼女は自身のブランドを通じ、食べ物の選択について人々に説いていて、それは直接的、そして絶対的に土地に対する注意と態度を反映しているのです。安心でおいしい食材、環境に優しい永続的な方法で生産する農業を人々に伝え続けています。

文創はきれいに見せる「包装」だけではだめ
文化を理解した上での「創造」であるべき

Q. ライフスタイルについてですが、趣味はありますか？

A. 仕事が4分の3を占めていると思います。今は大部分の時間を店で仕事仲間たちと過ごしています。でも今後はできれば厨房の外に出て、山や、食

2 曲墨建築建築師事務所（P082）のデザインによるバーカウンター。曲げた木材をつかった大胆なデザインながら、内装とも調和している。

べ物を生産した農家、土地の文化について探求したいと思っています。

　仕事とプライベートはほとんど分けていなくて、生活の大部分の時間を仕事が占めているのは、自分が信じる価値観を実現させるためです。そして、それを自分の生活の核として吸収することが一種の達成感にもつながっています。

Q. 人生でどんなことやものに影響を受けましたか？

A.「農業」ですね。農業に接することで、土地の背景やつながりに気付くことができます。そこからその土地の文化も知っていくことで、シェフという職業の「根幹」になっていくのだと思います。

Q. あなたにとって「文創」とは？

A. 文創とは「文化」の「創造」だと思います。これまでの社会の価値観では文化の「創意」だと考えられていたのですが、既存の文化を美しい包装紙でくるんだだけで、伝統を理解した上での創造ではなかった。このため、物事をきれいなパッケージで包むことが氾濫し、文化の本質的な素朴さが曲げられてしまったのです。文化の本質とは時とともに変わっていくもので、特定の姿形は持っていないはずです。

Q. 文創と今の活動の関わりについて聞かせてください。

A. 食べ物、あるいは料理、レストランなどは「文創」と関係があると一般的にはあまり考えられないと思います。ですが面白いことに、食べ物に文化が反映されているということに異を唱える人はいません。人は生まれた時から飲食と深く関わっています。そして、台湾人は衣食住の中でも特に食を重

要視しています。人に会えば「ご飯はもう済ませたかい？」という挨拶を交わすくらい。私たちは料理を通じて、来てくれたお客さんに飲食あるいは料理に対する既存の枠や制限から抜け出してほしいと思っています。体を使って感じることで、より深い想像を巡らせてほしいのです。

　あと、メニューを考えるときにはなるべく台湾の食材を探すようにしています。生産者と話していると、台湾には多くの食材や技術があるのに、人々に忘れ去られているか、知られていなかったりする。なので、料理あるいは他の企画を通じて文化をより広げていきたいと思っています。

Q. 今の台湾についてどう思いますか？

A. 今という時代は、政治でも経済でも文化でも、台湾があらゆる面で最良の状態に近付いている時代だと思います。意識の覚醒が起きているとても重要な時期に差し掛かっていると言えるでしょう。

Q. 今後の展望は？

A. 台湾に対する理解を深めていきたいです。今のチームが安定し、時間ができたら、台湾ならではの食材への探求を深めたいです。機会があれば、台湾原住民の集落を訪ね、彼らの文化を観察したい。その吸収する過程で生まれたインスピレーションで、また新たな料理を作っていきたいです。

EMBERS

ADD 台北市大安區仁愛路四段 122 巷 24 號
水〜日：18:00–23:00　　月火休

TEL +886(2)7751-5598

WEB https://www.embersdining.com/

3 テーブル、照明、壁面のひび割れにまで、WESさんの美意識が反映されている。**4** 料理中のWESさん。前面にあるのは、生育途中でリスの被害に遭い建築資材としては使えない杉。調理中の煙が、台湾の山にたなびく霞に見立てられている。

5 店名のEMBERSは"残り火"の意味。燃え盛る火には近寄りがたいが、同じ熱さを持つ残り火に偏見なく近づいてもらい、台湾の食材を再認識してほしいとの思いが込められている。

林奕仁

リン イーレン

「Oh Old!」ディレクター

若者とシルバー世代の
架け橋に

空港で有名な桃園市出身、国立成功大学で建築を学んだ林奕仁は、台南で「社區（ソーシャルコミュニティ）」を研究するうちに、現地の生活やそれぞれの地域の文化を学ぶようになる。やがて台南で「Oh Old!」を立ち上げ、現地の若者と高齢者とが協力して運営する、世代を超えたクリエイティビティの可能性を探っている。

若者も高齢者も互いに学び
「共によく生きる」コミュニティを

Q. 現在のお仕事について、内容やコンセプトを教えてください。

A. 僕らのブランド Oh Old! は、台南の旧市街地を夢の出発点として始まりました。僕はもともと大学の建築学研究所で「社區（ソーシャルコミュニティ）」について研究していたのですが、その中で地域の高齢化について考える学生グループを作り、若者とシルバー世代とが協力して作り上げる、新しい高齢化社会の可能性を模索中。具体的には全世代参加型のフリーマーケットや、カルチャーイベントでのお年寄りによるコーヒーサービスなどを運営しています。

Oh Old! では、若者も高齢者もお互いから学び、その成果を商品やサービスに変えて、社会全体の利益に還元する仕組みを作っています。互いに支えあうことで、コミュニティの中で「共によく生きる」という理念を実現できると考えているんです。

1

2

1 カルチャーイベントでのコーヒーサービス。見事な手さばきでコーヒーをドリップしてくれる。**2** 「Oh Old! クラスルーム」では高齢者がドライフラワーや編み物を教わり、作品を作り上げていく。

Q. 仕事をするうえで重視していることは？

A. 僕らにとって一番重要なのは「人」です。活動内容は様々ですが、すべての世代の人たちが自己実現できればいいと思っています。みんなが自分の才能を発揮して、それぞれの年代の誇りと自信を持てるのが理想です。一方で、人と人とのつながり、ともにあることも重要だと思っています。さまざまな活動を一緒に行うことで、違う世代に対してかけていた色眼鏡を外せるといいですよね。そうやって世代間をつなぐことも、Oh Old! の大切な役割だと思っています。

Q. あなたにとって「文創」とは？

A. 文化と創造性を組み合わせた言葉ですよね。文化というのはそこに住む人たちの生活の積み重ねだと思うので、文創とはその場所の知識、素材を使って創造することだと考えています。僕たちの仕事はまさに「地域の生活」を観察して、昔ながらの技術や空間、知識といったものからインスピレーションを得るもの。つまり文創というのはいろいろな「こと」「もの」が新たな価値を生み出す、ということではないでしょうか。

たとえばおばあちゃんたちの間で受け継がれているパイナップルジャムを商品化した「初戀滋味鳳梨果醬」という商品がまさにそういう価値の創造ですよね。ほかにもお年寄りに話を聞いて、これまでの人生経験を集めた「Oh Old! 生活誌」という冊子を発行しているのもそのひとつです。

Q. 他のブランドとコラボレーションしたことはありますか？

A. 若者が経営するブランドが、お年寄りと交流したいという申し出であれば、Oh Old! はいつでも大歓迎。それこそ僕たちの活動のハイライトだと思っています。以前台南で人気の「鶴鶉鹹派」というカフェ（現在は休業中）とコラボしたことがあります。カフェのオーナーからお年寄りにコーヒーの淹れ方をレクチャーしてもらい、お店やイベントでコーヒーを淹れてもらうという活動です。お年寄りが日常生活で抱える退屈や寂しさといった問題を解決し、彼らに新たな生活スタイルを体感してもらう。世代を結びつけるクリエイティブな試みになったと思います。

Q. プライベートの趣味は何ですか？

A. 僕にとっては「仕事すなわち生活」ですね。趣味は写真なんですけど、毎年春と秋には、おしゃれしたお年寄りを撮影しているんです。お年寄りのカッコよさを記録すると同時に、僕の創作欲求も満たされている。さらには写真集を出したり展覧会をすることで、Oh Old! の宣伝にもなり、ブランドイメージを作ることにも一役かっているんです。

Q. 今後のビジョンを聞かせてください。

A. ずっと夢見ているのが、Oh Old! のお店を開きたいっていうことだったんです。実店舗の名前はもう決めてあって、「柑な店」というのですが、2020年末〜 2021年初めにはオープンする予定です。お越しいただけたらスタッフ自らパイナップルティーを淹れて、Oh Old! のストーリーについてお話します。ぜひ足を運んで、僕らの活動に触れていただきたいですね。

Oh Old!（柑な店）

ADD 台南市中西區神農街70號（2021年オープン予定）

SNS @oholdtw

③ 高齢者の方の手仕事が詰まったギフトボックス。**④**「Oh Old! 市場」は、コミュニティの中で「共によく生きる」という理念を体現した、若者と高齢者が交流できる場となっている。

TA

ティー エー

吳庭安 ウー ティンアン

「W春池計畫」主人

これからのデザイン、主流は "再生"

台湾のガラス工業の中心地・新竹生まれ、ガラス工場の近く
で育った吳庭安は、イギリスのケンブリッジ大学を卒業後、
次世代ガラス産業の可能性を求めて、100％リサイクルで生
産するガラス製品の会社「春池玻璃」を設立。さらに「W春
池計畫」というプロジェクトを立ち上げ、台湾を代表するデ
ザイナーやブランドと組んでリサイクルデザインの普及に貢
献している。

次世代の資源を消費しないために
必要なのはサーキュラー・デザイン

Q. 現在のお仕事について、内容やコンセプトを
教えてください。

A. ガラス工芸とデザイン、テーマと材料、これ
らを結びつけて、「リサイクル」と「クリエイティ
ブ」の矛盾と共生を探し求めること。ガラス製品の
原材料はガラスそれ自体である、ということがテー
マなので、作り上げたり壊したりを繰り返しながら、
無限の循環というものを追い求めています。

Q. 仕事の上で大切にしていること、マイルール
はありますか？

A. 僕らは自分たちの経済成長やブランドを築き
上げるときに、もうこれ以上は次の世代の資源を使
うべきではないと考えているんです。だから僕の仕
事のガイドラインは、資源循環を通じたサーキュラ
ー・エコノミー（循環経済）であり、そのためのデ
ザインです。

Q. これまでさまざまなアーティストやブランド
とコラボレーションしていますが、パートナーシッ
プを築く時の基準となるものは？

A. W春池計畫はそもそも、リサイクルガラスの

1

2

1 2018年中秋節に月餅ギフトとしてW Taipeiとのコラボレーションで生まれた、リサイクルガラスを用いたグラス。**2** 台湾
を代表するデザイナー・聶永真（アーロン・ニエ）とのコラボ作、『蘇富比戦後亞洲藝術』（サザビーズによる戦後アジアンアー
トのアルバム）。高度な技術が必要なガラスケースの制作には聶永真氏も立ち会った（写真中央）。

洗練された美しさを実現するために、台湾を代表する職人たちとコラボレーションするというプロジェクトです。ガラスは透明で流動性があり、その特質はデザイザーたちが愛してやまないもの。さらに100％リサイクルのガラスを使って創作をすることで、作り手は作品に美しさだけでなく、「環境と社会責任」という意義をプラスすることができます。

世界からも注目を集めるレストラン「RAW」のオーナーシェフ江振誠、台湾を代表するグラフィックデザイナーの聶永真や方序中、五つ星ホテルのW Taipeiなどがプロジェクトに参加してくれています。ただリサイクルガラスを使うだけでなく、それを利用して最高のデザインを生み出すことも、循環プロジェクトの一環なんです。

Q. ご自身は普段どんなライフスタイルを送っていますか？

A. 仕事は生活の一部です。仕事の内容は信念であり、毎日の仕事に社会的価値があるということはわかっていますから。

Q. あなたにとって文創とは？

A. 文創という言葉はもしかしたらあまりダイレクトじゃないのかもしれませんが、文化的背景から、新しい可能性や創造性を創り出すことで、産業を生み出せるという意味ではないでしょうか。だから文化をスタート地点に考える必要があります。W春池計畫は空瓶販売から始まった、台湾のものを大切にする文化です。台湾に昔から伝わるリサイクルガラスの文化と新竹の伝統的なガラス工芸に現代的なデザインをほどこすことで、まったく新しい可能性を創り出すプロジェクトなんです。サーキュラー・デザインが日常生活に溶け込むことは大きな意味があります。人類は工業化時代以降、あまりに多くの資源を自分たちの満足と成長のために消耗しすぎました。資源不足と地球温暖化の問題もあり、将来はリサイクルデザインがデザインの主流になっていくと思います。

Q. 今後の展望について聞かせてください。

A. 2020年6月には、企画展示や飲食スペース、またガラス製品作りなどを体験できる複合スペース

「春室」をオープンしました。新竹公園に建設される3階建ての建物で、ここではサスティナブルな生活の可能性をいろいろな角度から体験し、インスピレーションを得ることができます。またここを訪れてくれる人たちと、地元の人たちが交流できる場所になればいいと思っています。3階にはコンセプトのプラットフォームである「The POOL 一池」があり、ここでも台湾のアーティストたちとコラボレーションする予定です。

サーキュラー・エコノミーとそのためのデザインが台湾ならではの文化として、人々に少しずつ、ゆっくりと影響を与えていってくれればいいなと思います。より多くの人に循環型経済の重要性と必要性を理解してもらえることを願っています。

W春池計畫
Wチュンチージーファ

ADD 新竹市牛埔南路372號
WEB http://wglassproject.com/

③ 2020年6月にオープンした「春室」。企画展示や飲食スペース。またガラス製品作りなどを体験できる複合スペースとなっている。④ 2017年北投納涼祭でお披露目された衍序規劃設計（P008）とのコラボ企画。水面に浮かべたガラスの鈴が水流で触れ合い、音を奏でる。

阿翔

アーシャン

「Bar TCRC」「Bar Home」オーナー

一杯のカクテルから土地の文化を伝える

1984年、高雄出身。ディスコ店員、ジャズバーのマネージャーを経て兵役後、台南に「Bar TCRC」をオープン。同店はアジアで最高のバー50の1つに選ばれた。その後「Bar Home」をオープンし、台南から台湾のバー文化を牽引している。バーテンダーとしての熱い思いから、カクテル講座の講師を務め、その技術を伝えるなど後進の指導にも力を入れている。

常にアップデートし続け
台湾のバー文化を牽引する

Q. 現在のお仕事について、内容やコンセプトを教えてください。

A. バーテンダーの訓練、メニュー作り、営業管理、危険処理、食材管理（無駄な消費ゼロが目標）など、お店の経営に関する全般です。

商品は伝統的なカクテルのほか、シグネチャーカクテル、モクテル（ノンアルコールカクテル）、台湾ウーロン茶、英国式ティー、スペシャルカクテル（お客様にあわせてベースのお酒と材料を選ぶオリジナルカクテル）。お食事はステーキ、イタリアン、フライ系、ハンバーガー、和風焼き物、オリジナルデザートなどです。

お店のコンセプトは「お酒メインのレストラン」で、「お酒も飲めるレストラン」ではありません。僕はよく日本へ旅行に行くんですが、日本の飲酒文化がたいへん好きです。台湾でもみんなで楽しくお酒が飲める環境を提供できればいいと思います。

Q. 仕事をするうえで重視していることは？

A. いい加減な仕事をしないことです。自分勝手な理由で手を抜いたり、楽をしたりしないことを常に心掛けています。

Q. 現在に至るまでの経歴は今の仕事にどう活かされていますか？

A. 最初の仕事はディスコの店員でした。そのお店は客層が結構めちゃくちゃで、カウンターにいたら吐瀉物をかけられたり、お客さん同士ケンカしたり、発砲事件なんてのもありました。かなりひどかったですね（笑）。でも、あのときいろんな場面に出くわしたおかげで、僕自身は危険に対する処理能力が身に付きました。

このあとジャズ・バーでカウンター・マネージャーをやりました。若かったのでバーテンダーとしては未熟で、毎日戦々恐々と仕事してましたが、この時期には多くのことを学びました。これらをベースに兵役が終わってから、自分のお店「Bar TCRC」をオープンしました。

Q. 他のブランドとコラボレーションしたことは
ありますか？

A. 臺虎精釀（TAIHU）とコラボしたとき、オー
ナーの台湾文化好きが高じてクラフトビールメーカ
ーを設立したという話に深く感銘を受けました。今、
うちの生ビールは彼らのものを使っています。今年
6月にもコラボしたビールが発売となりました。

このほかネグローニ・ウィークにも毎年必ず参加
しています。これは1杯売るたびに売上金の一部を
事前事業に寄付するもので、絶滅の危機に瀕したユ
キヒョウや台湾の石虎（ベンガルヤマネコ）を救う
ためのチャリティーにも参加しました。

コラボやイベントに参加するときは、台湾文化の
発展につながるものや社会貢献できるものというの
を基準にしています。

Q. 同時代もしくは同世代で気になる台湾ブラン
ドはありますか？

A. 台北の「Bar AHA」の尹得凱さんです。僕が
バーテンダーに興味を持ったころからずっと目標に
してきた人です。彼のバー文化に対する考えは制限
が少なく、材料の準備も徹底しています。僕にとっ
ては常に成長し続けることを教えてくれる、たいへ
ん素晴らしい先輩です。

Q. 普段はどんなライフスタイルを送られていま
すか？

A. 僕の生活はほとんど「公私一体」です（笑）。
家内も結婚する前からずっとそれを見てきました。
デートのときも「何考えてるの？」と聞かれるんで、
「カクテルの作り方」って答えたり（笑）。「公私一
体」を支えてくれる人がいるということはとても幸
運なことだと思います。

僕たちは旅行が好きで、去年まで毎年日本へ行っ
ていました。去年の年末にはドイツとチェコも行き
ました。いろんな国でバーに入って、そこで感じた
ことを話し合って、国際的なバー文化をアップデー

1 毎晩多くの客で賑わう Bar Home。お酒はもちろん料理にも力を入れている。**2** 中山路から1本入った路地にある瀟洒な外
観の Bar Home。

3

4

3 最初に開いたお店、Bar TCRCはアジアのベストバー 50に選ばれたこともある人気店。 **4** その名の通り、自宅にいるようなリラックスした時間を楽しめるBar Home。

トするんです。スマホで調べたり、人から聞いただけではわからないこともありますから。

Q. 過去に影響を受けた人物や物事は？

A. 台湾のバー文化が今みたいに発展してなかったころ、先駆者的な存在だった王靈文さんです。彼は「一瓶都別留」という本を出版しました。その中には当時のバーの環境、バーテンダーの生活、お客様との物語などが書かれていて、この業界で働くバーテンダーたちの共鳴を得ました。ぼくにとってこの本はアメリカに対する夢を描いたフィッツ・ジェラルドの「華麗なるギャツビー」のような存在です。王靈文さんはこの本の中にバーテンダーの夢を描いてくれました。今でも仕事に疲れたときはこの本に戻ってリフレッシュしています。

地元の伝統文化を意識し
バーから台南の文化を紡ぐ

Q. あなたにとって「文創」とは？

A. 「文創」は台湾の若者が自由に創業できる道を開いたと思います。ただ、希望をいえばもっと地元の伝統文化を意識してほしいです。日本的な物、アメリカ的な物は多いのに台湾的な物は少ないですから。

それから「文創」には問題点も多いです。ストレス、競争、資金。ほかにも「いつになったら才能が花開くのか」、「そもそも自分に才能はあるのか」といった不安。イベントなどを組織的に企画して活動の場を増やしていくことでこうした問題が解決されればいいと思います。また、商品となる作品も人の心を打つとともに実用性や耐久性を備えれば、ビジネスとしてもっと発展すると思います。

Q. 「文創」と、現在の仕事との関係について教えてください。

A. 「阿翔は文化的な仕事が好きだよね」。以前、同業の先輩からこんなことをいわれたことがあります。また、ある作家の言葉ですが、「その土地の文化を知りたければバーに行くといい」というのを聞いたことがあります。

僕はバーテンダーで、バーの経営者です。ほかの地方の人や外国人のお客様がお店に来たときは、飲食文化によってこの土地のことを伝えたいと思います。そして地元台南のお客様には昔を懐かしめるようなカクテルをお届けしたいと思います。

Q. 最近の台湾をどう見ていますか？

A. 政治は経済のことを考えるとき、文化事業についてもっと考えてほしいです。いくつかの法律は大企業のことしか考えていないと思います（苦笑）。

Q. 今後のビジョンを聞かせてください。

A. 僕ひとりの力には限りがありますが、自分のできることを少しずつやっていくことで、この業界やお客様によい影響をもたらしたいと考えています。みんなで協力すれば、世界のバーやバーテンダーが発展し、それとともに自分自身も成長していけると思います。また、今回の新型コロナ流行のような災害時でも何かに役立てるような存在になりたいです。

5

Bar TCRC

ADD 台南市中西區新美街117號
月〜木：20:00–26:00　金土：20:00–27:00　日休

TEL +886(6)222-8716

Bar Home

ADD 台南市中西區中山路23巷1號
月〜金：19:00–25:00　土：18:00–25:00　日休

TEL +886(6)223-2869

5 王道のカクテルもさることながら、赤ワインベースやコーヒーベースなどのオリジナルカクテルも充実している。

葉怡蘭

イェ イラン

「PEKOE食品雑貨舖」オーナー・
執筆家（食・旅行・ライフスタイル）・
公式サイト「Yilan美食生活玩家」運営

台湾の
ライフスタイルを
更新し続ける
仕掛け人

編集者・ライターとして食や旅行、ライフスタイルに関する
取材・執筆活動を経て自ら情報を発信するサイト「Yilan美
食生活玩家」を開設・運営するだけでなく、実店舗の
「PEKOE食品雑貨舖」でも自らの審美眼にかなった商品を紹
介。メディアでも幅広く活躍し、著書も多数。台湾にシンプ
ルで機能的なライフスタイルを広めた草分けとして常に注目
を集める存在だ。

日本文化の影響も多分に受けた美意識
仕事と生活は切り離せないから楽しい

Q. これまでの経歴をお聞かせください。

A. 空間デザインの雑誌「室内」やファッション
雑誌「Vogue」での編集、週刊誌の「臺週刊」では
食・旅行・ライフスタイルのページを担うなど、
さまざまなメディアで編集に携わってきました。取
材や企画、執筆で感じたこと、学んだことが今の私
のベースになっています。

Q. 仕事で大切にしているマイルールは？

A. 自分が求める理想のスタイルを実現するには、
細かいことを根気よくやり続けるしかありません。
どこかひとつのポイントでもあきらめてしまうと、
倍の代償を払って取り返さなければならなくなるし、
理想の人生からますます遠ざかってしまうと思いま
す。

Q. PEKOEは国内外の職人さんたちとのコラボ
レーションに積極的ですね。

A. クリスティーヌ・フェルベールのジャムなど
世界各地の食品や食器を厳選していますが、台湾な
らではの食品にも注目しています。2019年には柯亞
が作る「Keya Jam」も販売するようになりました。

1

2

1, 2 明るくシンプルな店内にはドライフルーツやコーヒーといった食品をはじめ、厳選されたライフスタイル商品が並ぶ。
海外だけでなく国内のブランドも大切にしており、Keya Jam（P126）も取り扱っている。

コーヒー焙煎士の陳志煌、ショコラティエの鄭畬軒、パティシエの洪守成といった世界的に活躍する台湾の職人たちが手掛けた作品もありますし、数年前から人気の台湾クラフトビールでは、啤酒頭を取り扱っています。台湾の活気に満ちた食の世界を紹介できればと思っているんです。

Q. ご自身のライフスタイルについて聞かせてください。

A. 私の場合、仕事とプライベートの時間は切っても切れないものです。旅行、仕事、生活はずっと、私の人生で絶対になくてはならないものでした。一般的な人と比べると、私のキャリアは多様だし、特殊だと思います。執筆、出版、サイト運営に食品雑貨のお店を経営、雑誌やデジタルコンテンツの企画・編集、講演会やセミナー、さまざまな商品のイメージキャラクターも務めています。仕事は生活であり、生活はまた仕事であり。自分の興味と仕事、生活が密接に結びついているので、いつもものすごく疲れて息をつくヒマもないのですが、同時にものすごく楽しい日々です。私は「体験」を人生の一番大切な目標に選んだんです。多様な仕事を通して、好きなことを全身全霊で楽しみ、心を動かし、自分を成長させることができています。

Q. これまで特に強く影響を受けた人物や事柄などはありますか？

A. 私の人生は読書に支えられてきました。一番影響を受けたのは「紅楼夢」ですね。有名な中国の長編小説ですが、生活の美学に対する私のあこがれや興味を高めてくれました。

その後旅を通して、東西文化に触れていくわけですが、その中で「形態は機能に従う」という概念に出会いました。機能を追求すれば、美しいデザインが生まれる。これが私のもの選びの核となる考え方になりました。

「紅楼夢」には禅の思考が秘められているので、そこから日本の茶道にも興味を持ち、「わびさび」の美意識にも影響を受けています。日本の柳宗悦、濱田庄司、河井寛次郎らが提唱した「民藝運動」にも、深く共鳴します。

Q. あなたにとって「文創」とは？

A. 率直に言うと、「文創」という定義に対してそれほど関わりも理解も持たずにきました。私は自分の好きな領域で頑張ってきただけです。唯一の印象は、私がすることはすべて「文創」だと、文創関連の団体から何度も言われたということですかね。

Q. 今後の展望について聞かせてください。

A. これからも真剣に真面目に、一瞬一瞬に向き合うだけです。「日日是好日」という作品の中で森下典子さんがおっしゃっているように、今というこの瞬間に集中することで人は自由に生きられるのだと思います。過去であれ今であれ未来であれ、春夏秋冬、どんな天気でも、生活だろうが仕事だろうが旅行だろうが、いつでもどこでも全身全霊で集中して過ごす。「日日是好日」でありたいものです。

PEKOE食品雑貨舖
ペコー シーピンザーフォプー

ADD 台北市大安區敦化南路一段295巷7號

WEB www.yilan.com.tw
www.pekoe.com.tw

SNS 🅵 @YehYilan
🅵 @PEKOE.TW

3 お店の経営のほか、デジタルコンテンツの制作や執筆、講演会など、葉さんの仕事は多岐にわたる。**4** 著書『紅茶經』と『日日三餐 早・午・晩』では、紅茶と食生活を通したこれまでのライフスタイルを紹介している。

Ting Hung

ティン ハン

「行冊／ Walkingbook」創業者

歴史を知り、
今を創る空間

その昔貿易で栄えた問屋街・迪化街で、カフェとレストランに図書スペースをプラスした新しい複合施設として2018年に「行冊／ Walkingbook」をオープン。リノベーションの際にTing Hungがこだわり抜いた内装は、かつてこの場所に医院を開き、また台湾唯一の言論メディアを創り上げた歴史的人物をリスペクトし、その精神を受け継ぐというコンセプトに根ざしている。

台湾には独自の文化が育っていない
だからこそ開拓精神が大切だと思う

Q. 現在のお仕事について、内容やコンセプトを教えてください。

A. 行冊は一棟の複合スペースで、“家”を出発点にして企画しました。一階はリビング（カフェ）、二階はダイニング（レストラン）、そして三階は書斎（小さな図書館）です。行冊を紹介するパンフレットがあるとするなら、1ページ目には、インドの詩人ラビンドラナート・タゴールの「倦旅的家」という詩が書いてあります。「旅人は　自分の家にたどりつくまでに、他人の家の門を一つ一つ叩かなければならない。こうして外の世界をさすらい歩いて、ようやく心の内奥の神秘に到達するのだ」。これが行冊が行冊たるゆえんです。大都会や繁華街の喧騒の中で、旅人たちに興味深くて静かな、図書館やカフェのようなスペースで休憩してもらいたいんです。

　行冊があるここは、1920年代に台湾民権運動の父と言われた蔣渭水氏が大安医院を開いた場所なんです。氏に敬意を表すために、建築家の劉冠洪さんと何度も何度も話し合って、建物の中に蔣氏のバックグランドを取り入れた設計にしました。はしご席は台北から蔣氏の地元である宜蘭までの路面から造形しました。入口から連なる一本の線は淡水河で、天井は蔣氏の亡くなった8月の夜空を再現しています。特に一階にあしらったさそり座は、医学を学んで人々を救い、国民のためにその身をささげた渭水先生の精神を表現しています。二階は一階のコンセプトを引き継ぎますが、三階は実験的な空間になっています。座ったり横になったりしながら、読書や思

1 蔣渭水氏が開業した大安医院の跡地をリノベーションした店舗。1階は蔣渭水氏の故郷・宜蘭の地形をかたどったカフェスペースになっている。

2    **3**

想に耽ることのできるスペースで、100の姿勢と100の読書スタイルが可能ですから、まだ知らなかった100の自分さえ発見できるかもしれません。

100年前に蔣氏が「台湾民報」を発行したのもここなのですが、「台湾民報」は当時の台湾人にとって唯一の言論メディアでした。芸術や文芸に貢献し、台湾の人たちに新しい知識や思想を紹介するものだったのです。100年後の今、行冊もまた、台湾の独立系書籍をサポートするプラットフォームとして台湾文化に貢献し、蔣氏の精神を継承したいと思っています。

Q. これまでの経歴を聞かせてください。

A. 広告会社とテレビ局で働いていました。それが起業であれお店を開業するのであれ、それまでの人生の総決算であるとずっと思ってきました。経験、性格、趣味を問わず、創り上げる時には、過去をすべて合わせたものが形になると思うからです。そして事業を運営していく過程においても、過去と未来を積み重ねていくのだと思います。

Q. 仕事をするうえでのマイルールは？

A. 達成できるかどうかは粘り強さにかかっている。

Q. これまで異業種とコラボレーションした事例があれば教えてください。

A. 2019年に2つのコラボレーション企画を開催しました。1つは台湾のアーティストと企画したアートイベント。もう1つは、レストランを開放して、台湾の作家さんたちが「一日シェフ」になる企画というのをやりました。

Q. あなたにとって文創とは？

A. 台湾にとって文創とは、単なる文化的創造ではなく、文化的創造を切り開くものであるべきです。植民地時代があり移民社会の台湾には、独自の文化が育っていません。英国のように自分たちの文化や創造性を育てて、それを輸出することができません。だからこそクリエイティビティを強調するのでしょう。でももしそこに開拓精神があるならば、激動や衝突の後に価値が出てくるかもしれません。

行冊のレストランでは地中海の食文化にスポットを当てていますが、これも行冊のある大稲埕が新旧融合した場所だというのと関係があります。私たちは台湾で育ち、東洋と西洋がぶつかりあった独特の多文化主義の影響を受けてきました。それを料理として表現して、台湾ならではの地中海料理を作っているんです。

Q. 今後の展望について教えてください。

A. 2020年にはチャリティでアートギャラリーを企画しています。さらに経験を積んで、未来の新しい事業につなげたいですね。

0 3 1

行冊／ Walkingbook
シンツァー

ADD 台北市延平北路二段33號
火～日：12:00–22:00 月休

TEL +886(2)2558-0915

WEB https://walkingbook.tw/ja/

2 3階の書斎では自由に読書や思索に耽ることができる。**3** 2階のレストランスペースで提供される地中海料理はTing Hungさんの弟の手によるもの。

陳超文

チェン チャオウェン

「TUA」「四知堂國際商行」ディレクター

理論と行動で
台湾ならではの
食文化を広げていく

1964年7月31日生まれ。台北市出身。TUA四知堂國際商行ディレクター。台北の繁華街である永康街や青田街、東区などで洋食や和食の有名レストランの経営に携わるが、台湾の食材や料理の魅力を伝えようと台湾料理店「四知堂」と姉妹店「TUA」を手掛けるようになる。

自身を育ててくれた台湾の土地と文化、
その魅力を料理でより多くの人へ

Q. お店のコンセプトについて教えてください。

A. 我々のブランドを通じて、どのように生活を送るべきか人々に気付いてほしいと考えています。自然への回帰や環境保護、そして食べ物がどこから来たのかということに気を配ってほしいのです。なので、産地から食卓までこだわった料理と快適な食事環境を提供しています。

Q. 仕事をする中で最も重視していることは何ですか?

A. 人々への気配りと物事への繊細な観察です。来店客や仕事仲間、社会に対しても常に心から関心を払うようにしていて、やることがどんなに多い日でも時間をかければ気持ちは必ず相手に伝わると思います。忙しい日々の中でも、バランスをさっと見つけたい。遅らせて時間を作らなくても、常に落ち着いた余裕のある姿でありたいと願っています。

Q. これまでの経歴について教えてください。

A. 永康街や東区で店の経営に携わってきましたが、どの店も日本や欧米の要素が見え隠れしていました。でも自分は台湾人であり、この土地に育ててもらったのだということに気が付きました。台湾料理を作っているときこそが最も自分らしくいられるし。だから「四知堂」と「TUA」が生まれたのです。台湾には可愛らしいところがいっぱいあります。一言二言では言い表せませんが。文化や土地から生まれた生活の知恵もたくさんあるのに、台湾人自身が忘れてしまっている。だから、力の限り、理論と行動で台湾ならではの食文化を広げていきたいのです。

1

1 TUAの店先には看板代わりのメッセージが掲げられている。

Q. コラボレーションの経験などはありますか？
コラボする相手を選ぶ基準は？

A. ロンドンで知られる「E5 Bakehouse」とパン屋の倉庫で、台湾料理のポップアップストアを10日間開催したことがあります。日本の画廊や花屋と協力して、金沢の市場に参加し、現地の人に台湾料理を教えたこともあります。台湾の企業と提携し、海外から来た人のためのお弁当を作ったこともありました。エコをテーマに台湾の食文化の魅力が伝わるものにしたのですが、いずれもコラボによって新たな効果が得られることを目指しています。そして互いに認め合い、専門性を尊重しているということも重要です。

Q. 注目している人はいますか？

A. 台湾の伝統的な市場の業者や農家こそ注目すべき相手だと思います。伝統的な産業は大変で後継者がおらず、いつ消滅してもおかしくありません。最近は生物多様性保全に努めている農家に注目しています。このような農家は土壌が比較的きれいなので、良い食物が育ちます。我々もこのような食材を使うべきなのです。伝統が消えてしまうことは止められないけど、自分の力が及ぶ限り、その存在の価値を伝えていきたいです。

文創は生活から生まれ、伝承されてきた
そして、飲食も生活や文化の一部

Q. ライフスタイルについてですが、趣味はありますか？

A. 趣味を見つけようと意識はしていません。なぜなら、それは自分に学ばせようと「努力している」ことになるから。それは生活の憧れの投射に過ぎず、その理想とすべき姿に「なる」ことはないのです。私にとって趣味と好みは呼吸と同じです。これらが自分にとって自然で、なくてはならないものになったとき、それが好きだと言えることになるのでしょう。生活の中での美に対する観察とは主体的な吸収です。芸術や美食、全ては自然に起こるはずのものなのです。

2 目にも鮮やかな料理の数々。その日の食材によってメニューを決める。**3** 店内はオーナーの陳さんのセンスにより集められたアンティークが並ぶ。

ですから、何をするにも、心からの観察と関心が大事です。そして家庭も非常に大切。店には家と同じような温度があること。私が手掛ける店にはこの考えに共感するお客様がやってきてくれるのです。

Q. 人生でどんなことやものに影響を受けましたか？

A. 生活の中のどんな些細なことでも刺激を与えてくれます。道端の今にも消えそうな光と影の美しいコントラストだったり、市場の商品の並べ方だったり、どんなことにも考えさせられます。常に自分を省み、我慢強くあることで、どんなことが起きてもその中で比較し、何かしら道理を学ぶことができます。

Q. あなたにとって「文創」とは？

A. 生活の中にある既存のものは、生き残り、伝承されてきた理由が必ずあります。文創ももちろんビジネスと関係がありますが、それは生活や文化の基礎の上に成り立つべきです。なので文創は「創造された」ものではなく、元のあるべき姿に立ち返るべきであり、私たちがすべきなのはそれをより優雅なものに見せることだけなのです。

Q. 文創と今の活動の関わりについて聞かせてください。

A. 文創は生活から生まれるもので、自然に伝承されてきた文化です。そして私が今手掛けている飲食も、生活や文化の一部です。台湾の根底に何度も立ち返り、台湾料理を異なる産業や国と連携させ、より多くの人に知ってもらえるよう努めていきたいです。

まさに最近、陶器や漆器を作る工芸家とのコラボを構想中です。私が作った料理を彼らに食べてもら

い、味覚や視覚、嗅覚で感じたことを作品にしてもらうというものなのですが、ここから何か面白い展示企画につながればと期待しています。

Q. 今の台湾についてどう思いますか？

A. 台湾の文創の本当の意味を広く知ってもらいたいです。現代社会ではあらゆるところでいろんな人が影響し合っているので、初心に帰り、本来のやるべきことにちゃんと向き合えれば、企業はさまざまな産業を応援してくれるようになるでしょう。そうすれば、社会全体により良いパワーが生まれるようになると思います。

Q. 今後の展望は？

A. 今度、金沢にお店を出すことになっています。ここでも台湾料理を出すのですが、台湾の食べ物や節気、生活や文化のおもてなしの仕方も伝えられると思っています。例えば、早めに着いたお客様にもお茶を出してのどを潤してもらう「奉茶」の文化などです。店を出すのはお金をもっと稼ぐためではなく、自分も含めてより多くの人に台湾を知ってもらいたいから。その過程で自身が台湾人であるということに何度も立ち返り、台湾人として何か忘れていないかと振り返る。それと同時に私なりの生活の方法を通じて、学べる友達ができればと願っています。商品の企画もやってみたいです。栄養価は高いけど見た目が良くない食材を出汁にして、家で手軽に調理できるようなものにし、食品ロスをなくすとか。食材の多様な運用で産地を支援し、全体の循環をより良いものにしていきたいです

四知堂
スージータン

ADD 台北市大安區濟南路三段18號
12:00～22:00　無休

TEL +886(2)8771-9191

TUA

ADD 台北市大安區四維路44巷15-1號
12:00～22:00　無休

TEL +886(2)2708-2082

SNS ❶ @tuaculture

◀店名の"TUA"は台湾語の攤（屋台）の読み方から。屋台から転じて「みんなでごはんを食べに行こう！」という意味。

5 台湾の旬の食材を使って作られる四知堂の料理。2020年8月には金沢市尾張町に四知堂 kanazawa がオープンした。

黃騰威

ファン トンウェイ

周佩儀

ヂョウ ペイイー

「雙口呂文化廚房」共同創業者

伝統の価値を
改めて知る料理教室

黃騰威、周佩儀夫妻は共通の趣味である旅行を通じて現地の建築や料理に触れるうちに、台湾ならではの伝統食材「粿（クイ）」に改めて注目。粿の料理やお菓子作りを伝える料理教室をオープンした。台湾の歴史的な建築物である三合院で開かれる教室は、現地のカルチャーを理解したいという海外観光客からも好評を得ている。

台湾には伝統的な食材で作った料理を
歴史ある建物で体験する教室がなかった

Q. 現在のお仕事について、内容やコンセプトを教えてください。

A. 「三合院の中で『粿（クイ）』を使った料理教室を開催しています。単純に料理を教えるだけでなく、食材、風土、粿から広がる文化、お祝い事やタブーまで紹介しながら手作りの体験をしていただいています。三合院というのは三方を壁に囲まれた伝統的な家屋です。ここで台湾南部の伝承や、客家に伝わるお米文化に触れてもらうことで、こうした伝統家屋を保存して使用していくというテーマについても考えてもらいたいと思っています。

粿を使ったお菓子作りにはものすごく労力を使います。コストや手間は日本の和菓子や西洋菓子にも劣らないのに、その価値はあまり認められていません。昔は主にお供え物として使われていたので、水分や材料が『置いておく』ことを目的に配分されていて、現代人の口に合わず、若者はあまり好きじゃないんです。長年作っているお年寄りですら、その価値に気づいていないのが実情です。

夜市のB級グルメや、滷肉飯や牛肉麺、小籠包と

1 台湾の伝統的な建築様式である三合院（コの字型の建築に中庭を有する）の住居で料理教室が開かれている。**2** 4月上旬の清明節（お墓参りなどをして先祖をまつる）によくお供えされる草仔粿。

3

4

いった台湾料理はとても人気がありますが、こういうものは私たちの実際の生活や文化とはちょっと距離があるんです。台湾人は旧正月になると必ず粿のお菓子を食べます。こういう文化も外国人観光客に知ってほしいし、台湾を違う角度から見てほしいなと思っています」（黃さん）

Q. これまでの経歴を聞かせてください。

A. 「海外事業です。ブリーフィング、商談、異業種との連携、新規顧客の開拓など、起業にあたってすべて応用できました」（黃さん）

「大学時代は観光について学び、ずっと料理に興味がありました」（周さん）

「雙口呂文化廚房のコンセプトは、僕も妻も旅行が好きで、旅先のローカルツアーに参加したり、料理教室に行ったりしていたことがきっかけです。台湾には伝統的な料理を歴史ある建物で体験する料理教室がなかったので、この料理教室を作りました」（黃さん）

Q. これまでの人生で影響を受けた人物は？

A. 「僕の人生は退屈で、生まれも育ちも桃園だし、仕事も結局桃園に落ち着きました。そんな僕がバックパッカーになったのは、叔母の元夫でポルトガル人のリカルドという人がきっかけなんです。貿易会社で働いていた叔母は、まだポルトガル領だったマカオでリカルドと出会い、結婚しました。外国人の親戚は優しくて、マカオで彼らの家に滞在したこともありました。叔母がリカルドと離婚して連絡先がわからなくなってからも、僕はポルトガル大使館に手紙を送ったり、名刺にあったアドレスにメールを送ってみたりして、ずっと彼のことを探していました。兵役の前にGoogleで彼の名前を検索する

と、なんと大学で教えていたという経歴が出てきて、すぐにメールを送ったんです。兵役を終えた後、ポルトガルに行って再会した時は、タイムトラベルしたみたいでした。僕を起業へと駆り立て、考え方に影響を与えたのは、この旅だったんじゃないかと思うんです」（黃さん）

Q. あなた方にとって文創とは？

A. 「台湾政府の文化部が募集している『創業圓夢計畫』（創業の夢を叶えるために補助金を出すプロジェクト）に申請したのですが、計画書を作るときも同じことを聞かれました。僕らにとって文化創意というのは、文化を理解した後にイノベーションを起こす、文化的背景をよく理解してから、サスティナブルな事業を起こすということです」（黃さん）

「文創というのは、ちょうど私たちの扱う『粿』でいえば、まず伝統の味と慣習をよく理解してはじめて、新しいスタイルの粿料理が創り出せるのだと思います」（周さん）

Q. 今後の展望について聞かせてください。

A. 「オープンから5か月で軌道に乗っていることを驚く人も多いのですが、3年かけて準備した事業なので、今後も着実に成長していきたいです」（黃さん）

「もっと台湾粿の種類や文化的意味、作り方を勉強して、雙口呂で大切に保管しつつ、新たな創造につなげていきたいです」（周さん）

雙口呂文化廚房
シャンカールーウェンファチュファン

ADD 桃園市大溪區南興路一段277號
WEB https://www.siangkhaulu.com

3 お正月に食べられる年節發粿（台湾の蒸しパン）。**4** 親子向けのワークショップ。楽しみながら文化が繋がっていく。

| INTERVIEW | 黃騰威 | 周佩儀 |

0
3
7

Shinway
シンウェイ

Agy
アギー

「SYNDRO」デザイナー、ブランドディレクター

妥協せず創る、
「10年後も着たい服」

エンジニア出身のShinwayが作る機能的かつトラディショナルなデザインが唯一無二の存在感を放つファッションブランド。Shinwayはデザインだけでなく、素材や品質にとことんこだわる仕事ぶりでも一目置かれている。職人肌のクリエイターと、その夫を笑顔で支えるAgyとの二人三脚で、台湾ファッションの新しいスタンダードを提案している。

昔からのデザイン、服作りに学び
独自の美学で新しい文化を生み出す

Q. 現在のお仕事について、内容やコンセプトを教えてください。

A. 「SYNDRO（シンドロ）の商品デザインと、シーズンごとのコレクションの企画などを行っています。SYNDROのブランド理念は『10年経っても一番着たいと思う服を創る』というものです。ここからブランドをスタートし、その後SYNDRO HOUSEをオープンしました。店舗では私たちが選んだアイテムも販売しています」（Agyさん）

Q. 仕事の上でのマイルールは？

A. 「最も大切にしているのは完成度とクオリティです。抽象的な概念から具体的な商品を創り出し、さらにまた形のないサービスを提供する。すべて細かいところまで最高の品質で届けたいんです。簡単なメールから、服のひと針ひと針、ブランドの世界を伝えるルックブックに至るまで、最高の水準を求め、絶対に適当なことはしません」（Shinwayさん）

「私は『努力すればするほど運がよくなる』、『笑顔の人は殴れないし、プレゼントをくれる人は罵れない』というフレーズの意味を信じているんです。現実には努力した分だけ必ず報いがあるとは限らないけれど、何も努力しなければ成果もありません。そして笑顔は完璧なお化粧と同じくらいステキだし、他人にも、自分の気持ちにも影響を与えるものです。だから大変なことがあっても、常に努力して笑顔で

1

1 2019年の秋冬コレクションは、Shinwayさんのお気に入りの映画の1つである『ファイトクラブ』から着想を得た。

時間が経つとこのグループ特有のライフスタイルというのができてくる、それが文化だと僕は思うんです。この蓄積された文化が、クリエイティビティと融合すると、また新しく創造される思想や作品、サービスがある。それが文創だと思います。ブランドの美学で「新しい文化のある」作品を生み出す。これが私の従事するファッションデザインという仕事と、文創の関係です」（Shinwayさん）

「時代ごとの集団の記憶にある主観的な産物を摘み取ること（とても自分の口から出たとは思えません、笑）。たとえば私は同じ時代の人たちと『たまごっち』という製品を経験しましたが、これが文創の定義じゃないでしょうか。実際に存在もするけれど、実体のない産物でもあるというか」（Agyさん）

Q. 今後の展望について聞かせてください。

A. 「SYNDRO HOUSEでカフェサービスをスタートします。ファッションに関する書籍や雑誌を置いて、交流できる場所にしていきたいと思っています」（Shinwayさん）

「出産を経験したので、復帰後はレディースのSYNDROmeと、将来的には子供服のsyndorominiのプロジェクトを進めたいですね。そして日々よりよい毎日を過ごせるよう願っています」（Agyさん）

いること。それが私の一番大切な初心なんです」（Agyさん）

Q. これまでの経歴を聞かせてください。

A. 「大学でエンジニアリングを学び、以前は自動車エンジニアとして働いていました。ファッションデザインや販売とはまったく違う職種ですが、機械設計や工場で監督を務めた経験は非常に役立っています。設計、開発、製造の知識があるので、今でも製造過程ではコストや技術面において、合理的な考え方ができています。またワークスタイルファッションが流行るずっと前から、エンジニアという背景を生かして取り入れていましたから、台湾のワークスタイルファッションの草分けになれました」（Shinwayさん）

「マーケティング広報やアートマネージャー、マスコミなどの分野で7年ほど働いた後、Shinwayと結婚してSYNDROの経営に携わっています。全スタッフが重要メンバーの小さなチームですから、これまでのすべての経歴が役立っていると思います」（Agyさん）

Q. あなたたちにとって文創とは？

A. 「文化とクリエイティビティが不可欠ですよね。似たような好みや習慣を持つグループがあって、

SYNDRO

ADD 台北市松山區三民路180巷22號
月～金：16:00–20:00　土日：13:00–20:00

TEL +886(2)3765-5020

WEB https://www.syndro.house

2 松山空港のほど近く、民生社区と呼ばれるエリアにSYNDRO HOUSEはある。**3** 2013年に設立し、2014年の春夏がSYNDROのコレクションの最初のシーズンとなった。**4** SYNDRO HOUSEではファッションを愛する人たちの交流の場として、カフェスペースもオープン予定。

陳陸寬

チェン ルークァン

「貓下去敦北倶樂部」オーナー

レストランと雑誌で
文創の新しい形を
体現する

1980年生まれ。國立高雄餐旅大學卒業。高雄漢来ホテルや誠品の飲食事業部での仕事、デザイン雑誌「ppaper」でのライティングと編集の仕事を経て、ユニークなメニューを提供しクリエイティブな客の集うレストラン「貓下去敦北倶樂部」をオープンさせる。また雑誌編集の経験を活かし、女性誌「凹女」を発行。自身も表現者として文創を盛り上げている。

飲食業、雑誌編集を経て
独自のテイストのレストランをオープン

Q. 現在のお仕事について、内容やコンセプトを教えてください。

A. 台北にオープンした貓下去は時代に合った料理やアルコールをそろえたレストランで、多くのお客様が集まる社交の場になっています。

私はキッチンとホールを担当するほか、オンラインやオフラインのさまざまな企画も行います。11周年を迎える今年（2020年）は国際基準の高いクオリティを定着させることで、これまでの台湾のレストランとは違った独自のテイストを打ち立てて行きたいと考えています。

Q. 仕事をするうえで重視していることは？

A. 規律、効率、創意、それに飲食に関する基本的なことです。こうしたものがきっちりしていればハイクオリティで心のこもったサービスを提供できます。

Q. 現在に至るまでどのような仕事をしてきましたか？

A. 高雄漢来ホテルや誠品の飲食事業部で働き、デザイン雑誌「ppaper」ではライティングと編集をしていました。

Q. 他のブランドとコラボレーションしたことはありますか？

A. コラボをする相手は新しいチャレンジをするにせよ、ルールを守るにせよ、同じ精神を共有して

1

1 活気溢れる厨房。お酒だけでなく、料理にも力を入れている。

3

2 連日客で賑わう店内。予約しないと入れないことも多い。**3** 店名の「貓下去」は台湾語の「凹下去」（＝ゆっくりひと休み）と掛けてつけられている。

いることが大事です。私たちは2018年にASAHIビールと2ヵ月限定のお店をオープンしたほか、2019年には永心鳳茶（P076）とのイベント、金馬獎とのレッドカーペットパーティーでコラボしています。

Q. 同時代で興味を持っている人はいますか？

A. 中華圏で絶大な人気を誇るロックバンド・五月天のベース担当の瑪莎、金馬獎などいわゆる「三金」のビジュアルデザインを手がけている台湾を代表するデザイナー・方序中、JL DESIGN の創業者で国際的な映像クリエイターの羅申駿、本事空間製作所（P070）のデザイナー・謝欣曄、Plan b Inc.（P088）の創設者・游適任、INCEPTION ／啟藝（P110）の創業者・Ocean、Vogue Taiwan の編集長・孫怡、モーショングラフィック制作スタジオ・Bito の劉耕名、ライフスタイルマガジン『小日子』の発行人・

劉冠吟です。なぜなら彼らはみんな今の時代を創造するクリエーターだからです。

Q. 普段はどんなライフスタイルを送られていますか？

A. ほとんどの時間はレストランか、その周辺にいます。プライベートな時間に必ずやることといえば、毎日の運動、それから執筆と読書です。

生活で大事なものはやっぱり仕事と健康、それから家族、同僚たちです。

Q. 過去に影響を受けた人物や物事は？

A. 飲食業に対する価値観を形成するのにアンソニー・ボーデインの著書の影響を受けました。創作活動を続けていく上では雑誌「ppaper」の編集長・胡至宜（IVE）の影響を受けました。このほか貓下去は私の人生観に、台北は私が人生の後半を生きてい

4 デザイン誌で培ったライティングと編集技術を生かして陳さんが作り上げた女性誌『凹女』。**5** トロフィーに盛られたポテトフライ。看板料理の XO 醬擔仔麺をはじめ、提供される料理は味はもちろん、ビジュアルも楽しめる。

5

く上でのさまざまな要素に影響を与えました。

トレンドに合わせて店を進化させ
台北の生活の中で特別な存在にしていく

Q. あなたにとって「文創」とは？

A. 創作した作品の中に文化的な本質を備えていること。それが「文創」だと思います。

Q. 「文創」と、現在の仕事との関係について教えてください。

A. 台北で「文創」やエンターテイメントのデザインなどに関わる人の多くが貓下去の常連客です。それはこのレストランが持つ独自の飲食文化、そこに込められた創意やデザインのテイストと関係していると思います。そして、これは創業者の私が成長する背景でさまざまな「文創」を吸収してきたことと無関係ではないと思います。私たちはこのレストランをどうやって時代に合わせた新しいものにしていくか、台北の生活の中で特別な存在にしていくかを常に考えています。貓下去はオープンからあっという間に10年が過ぎ、今では一家三代がいっしょに食事できるレストランになっています。

　レストランのほかに、今は雑誌も作っています。以下は雑誌の簡単な紹介です。

　凹＝貓下去／凹＝欠陥／凹＝ジグソーパズルの1ピース／凹＝ぶりっ子の発するひと声／凹は怪我／ほとんど毎日完璧な日はない／凹はもしかして秘密／ひとつの角／あなた自身／

6

　「凹女」は台北でオープン11年のレストラン「貓下去」が初めて発行した女性誌です。110ページの中には50篇に及ぶ街と女性の物語。大量の白黒写真。文章の中には台湾の雑誌でほとんど見かけないスクリーン・リーダーとプレイリストのコラボ。これはレストランが発行した非典型的な女性誌。その目的は不完全な日々の中、女性のそばで、ほんの少しの文字とともに微笑みを届けることです。

Q. 最近の台湾をどう見ていますか？

A. 新型コロナウィルスが流行して、台湾の価値というものがこれまでよりもっと広く理解され運用されるようになったと思います。たとえば善良でプラスな面がクローズアップされたほか、臨機応変に対応したり、環境に適応したり、異なる文化と一体となってそこで新しいものを生み出したりするのが得意なことが知られるようになりました。

Q. 今後のビジョンを聞かせてください。

A. レストランと飲食会社、台北の精神を反映した創意の結晶をしっかり続けていくとともに、時代の流れに耐えていくことです。

貓下去敦北倶樂部
マオシァチュドゥンペイジュラブー

ADD　台北市松山區敦化北路218號
　　　　月～日：11:00-15:00 17:30-24:00　無休

TEL　+886 (2)2717-7596

WEB　https://meowvelousreadingclub.blogspot.com/

SNS　Ⓞ meowvelousinc

6 台湾のクラフトビールメーカー SUNMAI とコラボしたオリジナルのビールを提供している。

黃崇堯

ファン チョンヤオ

「香蘭男子電棒燙」主人

テーマは
"交流の場" としての
理髪店

大学卒業後、兵役、建築事務所勤務を経て、地元である台南市中心部にある永楽市場の一角に「香蘭男子電棒燙」をオープン。見た目は理髪店、中身はアパレルショップというちょっと変わったコンセプトと、台湾らしい漢字ロゴやポップなイベントのTシャツで、海外観光客からも注目を集める。日本でも台湾関連イベントなどに出展し、話題となった。

人が行き交うお店の理想は
客とともに運営している雰囲気

Q. 現在のお仕事について、内容やコンセプトを教えてください。

A. 「香蘭男子電棒燙」は伝統的な理髪店をコンセプトにスタートしたアパレルショップです。「電棒燙（アイロンパーマ）」という名前ですが、パーマとか美容系のサービスは提供していません。Tシャツ、リュック、タオルなどを扱っています。

　お店を立ち上げた目的は、徐々に失われてきている伝統的な理髪店に興味を持ってもらい、実際に中に入ってその雰囲気を体験してもらうことなんです。店舗の大きさは5坪ほどしかありませんし、下町の古い市場の静かな一角に隠れているお店ですが、訪れてくれた人たちの旅の記憶に残る風景でありたいと思っています。

Q. 仕事の上で大事にしていることは？

A. 人と人との交流です。それこそ僕が10年間勤めた職場を離れて、香蘭男子電棒燙をやろうと思った理由ですから。伝統的な理髪店のどこに惹かれるかというと、技術を提供するだけでなく、生活感やたわいない会話で、常連客と交流して、お客さんも一緒にお店を運営しているという雰囲気が好きなんです。だからお店のサービスとしては単純な販売ですけれど、人と人とのふれあいとか態度といったものを大切にしています。僕のお店で気さくな雰囲気を味わってもらい、今も残る本当の理髪店にも興味

1

1 お店の見た目は伝統的な理髪店そのものだが、カットは行っておらず、オリジナルのアパレル商品を販売している。

を持ってもらえたらと思っています。

Q. プライベートはどんな風に過ごしていますか？

A. 香蘭男子電棒燙を立ち上げる前と後とで、ライフスタイルが大きく変わりました。以前はオフになると家でも職場でもガーデニングをしていました。週末には台南の旧市街を散策したりね。お店をオープンしてからは、一人で切り盛りしているのでオフの時間が減りましたが、散髪に行くときはいろいろな理髪店に行き、休憩とリサーチを兼ねています。髪を切ってもらいながら店主と話して、伝統的なお店の歴史やちょっとした情報を聴くのは楽しいものです。いまは生活の中で仕事が大きなウェイトを占めていますが、仕事のテーマが生活の延長ですし、時間の融通も利くので、家のこともできるし、仕事を通して友人たちとも付き合っていけるのがいいところですね。友達もよくお店に来ますよ。

Q. あなたにとって文創とは？

A. 実を言うと、この二文字があんまり好きじゃないんです……。文創という文字から、これが文化とクリエイティブ（創意）のつながりを意味することはすぐにわかるのですが、一部の人たちは文化を深く理解せずに、文創という記号をそのまま商品にマークとしてつけているように感じるんです。実際そういう商品はただ商品、それも未熟な商品としかいえません。また、文化そのものは生活と密接にかかわっているので、深い文化体験と生活経験があってはじめて、文創が生活の中に自然と溶け込んでい

くのだと思います。まず発想（初志）があり、それが実行され（変化）、譲渡されて（取引）、使われることで人生にフィードバックされる。これが理想の文創です。

香蘭男子電棒燙の商品はすべてオリジナルですが、僕は自分のことをデザイナーとは思っていません。定義するならひとつの媒介、タンポポを運ぶ風のようなものです。僕が作ったこの店を訪れた人が、ノスタルジックな雰囲気や、父親と一緒に行った思い出など懐かしい記憶を呼び起こす。最後にはみんなが地元の理髪店で散髪しながら生活の楽しみを味わってくれたら、この文化がずっと続いていくと思います。

Q. 今後の展望について聞かせてください。

A. 伝統的な理髪店は、理容師が減っていることもあり、だんだんと少なくなってきています。できることなら彼らのことを記録しておきたいですね。また香蘭の可能性は理髪店に限りません。「リアリズム」と「シェア」という2つの要素は不可欠ですが、今後もいろいろなことを試していきたいと思っています。

香蘭男子電棒燙
シャンランナンズーディェンバンタン

ADD 台南市中西區國華街三段123號2樓193室
金〜日：13:00-18:00　月〜木休

SNS 🅕 @tainan.kouran

2 台湾独特の窓枠に掛けられたロゴ入りTシャツ。"電棒燙"とはアイロンパーマの意味。**3** 店内では看板猫がお出迎えしてくれる。

gajiao
ガジアオ

「歩野／ Wild Fabric」オーナー

布の味わいを生かす
豊かな感性

グラフィックデザイナー出身のgajiaoは、綿や麻など天然の布素材に魅せられファブリックデザイナーに転向。台湾の布問屋が集まる迪化街に有機天然素材の布製品を扱う「歩野／ Wild Fabric」をオープンした。商品のデザイン・販売だけでなく、ファブリックアートのエキシビジョンも精力的に開催。台湾ファブリックの新たな可能性を探りながら活動の場を広げている。

文創の解釈は人それぞれだが
さまざまな要素を結びつける言葉

Q. 現在のお仕事について、内容やコンセプトを教えてください。

A. 歩野／ Wild Fabricは天然の布製品からスタートしたファブリックブランドです。日常生活の中で得たインスピレーションを、シンプルなデザインの中に生地本来の質感や紋様を生かして表現しています。アトリエでの主な仕事は現在、布製品のコンサルティングと販売、ブランドオリジナル商品のデザインとさまざまな企画、オーダーメイドサービスなどです。

Q. 仕事でのマイルールは？

A. プロジェクトを進める時には、さまざまな制限や困難にぶつかることがよくあります。時には予算だったり、時間だったり、いろいろな制限があるので、製作にあたっては取捨選択が必要になってきます。そんな時は「お客さんのニーズに答えられているだろうか？」「このプロジェクトの問題に対して、最善の解決方法見つけられただろうか？」と自問しています。理想をいえば、「目的や理想、概念を表現できているか」、「布製品の多様性や可能性を表現できているか」ということを常に考えながら仕事をすることです。

Q. これまでの経歴を聞かせてください。

A. 実は偶然に偶然が重なって、アトリエを設立するに至りました。現在のように形になったのは、

1

1 歴史あるエリア・迪化街にあるアトリエ。天然の布製品を使った様々な企画を提案している。

2

3

少しずつ経験を積み重ね、常に改善を繰り返してきた結果なのかなと思います。以前はグラフィックデザインを手掛けていましたが、紙とか印刷という媒体でチャレンジして得た実務経験や知識と言ったものが、今も役立っているんです。媒体は違っても、観察の視点や感情表現へのアプローチはファブリックデザインの仕事にも生きていますね。ブランドを立ち上げる前には、生地の製造業に身を置いて学んでいたので、よりアグレッシブにさまざまなアイディアを試せるようになりましたね。

Q. あなたにとって文創とは？

A. 台湾に「文創」という言葉が生まれ、流行語のようになってからすでに数年が経ちますが、解釈は実に人それぞれです。一般の人たちから見ると、もっともらしい概念やコンセプト、言葉では表せない感覚といったもののようです。大きなクロスワードパズルのように、クリエイティビティ、カルチャー、テクノロジー、そしてビジネスとさまざまな違った要素を結びつけられる言葉です。クリエイティブなインスピレーションやデザインを通して、文化的な深い意味合いの中からエッセンスを抽出し、大衆との距離を近づけて、ビジネス上の商品価値に結びつける言葉なのではないかと考えています。

Q. 他ブランドとコラボレーションするときに大事にしているポイントは？

A. さまざまな分野の仲間と切磋琢磨することは大歓迎で、その相手に制限や条件は特にありません。よく知らない分野に携わるときには、さまざまな課題や挑戦がつきものですが、本当にいい勉強になります。お互いを認め合って尊重しあうことのできる相手であれば、双方にメリットのある相乗効果を生み出すことができるはずです。

Q. 現在の台湾をどう見ていますか？

A. インディーズブランドが雨後の筍のようにできて、活気やエネルギーに満ちていると思いますが、こうした起業ブームは僕にとって楽しみでもあり、またプレッシャーでもありますね。それぞれのブランドが居心地のいい場所から一歩踏み出して、独自のスタイルを表現し、国際市場にチャレンジしていけたらいいなと思っています。国を超えたブランド間のやり取りができれば、台湾にとって非常にいい文化マーケティングにもなるでしょう。

Q. 今後の展望について聞かせてください。

A. 2019年末にアートエキシビジョンを開催して、大きな収穫と反響がありました。この展覧会という機会をもっと増やして、僕たちの世界観やアイディアを伝えることができたらと思っています。また今後も世界のさまざまなブランドと協力して、交流を深めていきたいですね。

歩野／Wild Fabric
ブーイェ

ADD 台北市大同區迪化街一段 32 巷 21 號
　　　月〜金：9:30–18:30　土：13:30–18:30　日休

TEL +886(2)2555-0706

SNS 🅕 @wildfabric

2 2019年9月に上野恩賜公園で行われた台湾イベント、TAIWAN PLUSにも出展しオリジナル商品を販売した。**3** 2019年の大稲埕國際藝術節では、同じく迪化街に店を構える「地衣荒物」とコラボレーションして展覧会を実施した。

謝宜澂

シェ イーチョン

謝宜哲

シェ イーヂァ

「御鼎興」醤油職人

最高の品質の追求し、文化のある醤油をつくる

1947年に創設された雲林の醤油工場の三代目として宜澂（右）が1988年に、宜哲（左）が90年に生まれる。2012年に工場名を「御鼎興」に改め、ブランドイメージを刷新。2017年には新たに会社も設立し、地方創生に力を注いでいる。月に1回のイベント「飛雀餐卓」では、地元の食材と醤油を使った料理を消費者に食べてもらうことで、農産物や醤油への理解促進を図っている。

1 食材についての理解を深め、地域とのつながりや交流を深めるため、地元の食材と醤油を使った料理を食べてもらうイベント「飛雀餐卓」を月に一度開催している。

イノベーションは伝統の土台の上に
老舗の歴史を背負う三代目兄弟の強い意志

Q. 現在のお仕事について教えてください。

A. 御鼎興は台湾の黒豆醤油の専門店です。私たちは醤油職人として18年間、醤油を造ってきました。工場では60年余り、薪火で醤油を造ることにこだわってきました。「最高の品質の追求は量に勝る」と考えています。時代の移り変わりに合わせ、現在は文化や教育の推進にも力を入れていて、消費者においしい醤油を食べてもらう以外に、醤油の使い方や産業、醤油職人の物語などを人々に知ってもらうための活動に積極的に取り組んでいます。私たちは三代目ですが、「良い醤油を1本造るのは本業、文化のある醤油を1本作るのは覚醒」ということを信念としてやっています。

Q. 仕事をする中で最も重視していることは何ですか？

A. 「イノベーションは伝統の上に」──これが御鼎興の重要なルールです。伝統を基にしたイノベーションでこそ、文化が生まれ、奥深いものになっていくと思っています。

仕事においては、動作や製作の流れがきちんとできているかどうかを非常に重視します。ただ、品質向上の余地があると思われた場合には新しい方法を試してみることもあります。また、衛生にも非常に気を使っています。伝統的な醤油工場には、黒くて汚いという印象が持たれているので、何とか変えたいと思っていて、作業しながら環境を整えたり、手作業では必ず手を洗ったりということを徹底しています。

1

Q. これまでの経歴について教えてください。

A. 初代によって1947年に「玉鼎興」として誕生し、2012年、現在の名前に改称し、ブランドイメージを一新しました。2017年には会社も立ち上げ、醤油産業の発展を図ってきたほか、地元である雲林にも目を向けるようになりました。地元が元気になれば産業も良くなると考え、生産者の特集記事と共に収穫物を一緒に届ける情報誌「食通信」雲林版への参加を始めたんです。故郷の農業について知るようになり、地方振興と地元の青年農業者をつなげる「飛雀餐卓」などの活動も始めました。

Q. コラボレーションの経験などはありますか？コラボする相手を選ぶ基準は？

A. レストランや委託販売、コラボ商品などの協業が主で、提携先が有名かどうかなどということではなく、われわれの理念に賛同してくれるかというところを大事にしています。提携の前には実際に工場に足を運んでもらい、理解を深めてもらっています。

2019年には豆乳などを販売する「禾乃川豆製所」から声を掛けてもらい、初めてコラボ商品を手がけました。国産大豆から造った禾乃川の味噌とうちの醤油を掛け合わせた「味噌御露油膏」という商品な

んですが、とても好評です。

また、台湾の人々に自分たちを知ってもらうということから、世界に台湾の醤油を知ってもらいたいという考えに変わり、同業者との協力も必要だと思うようになりました。2016年から醤油工場にインタビューしていて、これまで行った8軒の話をまとめた記事をインターネットで公開しています。今後は人々が好きな味や製造方法を見つけられるようプラットフォームを作りたいと思っていて、系統などによって業者を分類したり、評価制度を構築したりしたいです。

台湾で育てた作物を食べ続けられるように
願いを込めて地方創生に力を注ぐ

Q. あなたにとって「文創」とは？

A. 実は文創の定義がよく分からないんです。ただ言えるのは、誰かの物語や地域の文化を探し出して、その地方の産業やサービスとつなげることが一種の文創なのかなという気がします。直観的に連想するのは、文創によって体現されるものはリアルなものであるべきということ。良い面でも悪い面でも、優しく、少しユーモアを交えて表現することができ

2 黒豆醤油をはじめ、米粒醤油や味噌御露油膏など多彩なラインナップの醤油商品。

るのかなと。

Q. 文創と今の活動の関わりについて聞かせてください。

A. 文創のために作り出されたあり得ないストーリーを耳にするのが一番嫌なんです。感動的に思えてよく考えてみるとちょっとおかしいというような。そんな虚構を作るよりも、地域との関係をちゃんと考えて、自分たちの物語を創造していった方がよっぽど良いと思っています。

私たちで言えば、伝統を基礎にイノベーションを図っているということです。例えば「米粒醤油」は、50年代に使われていた技法を再現しつつ、時代に合った方法でアレンジしました。当時は醤油膏（とろみ醤油）を造るのに米と醤油を混ぜて加熱してから米をろ過していたんです。ただ、手間がかかるこ

となどから父の年代ではもう廃れてしまいました。私たちは3年かけて、この味を再現しました。そして、現代では食品ロスをなくす考えが広がりつつあるので、米をろ過せずに残すという方法を取ることで食感のある醤油が生まれたわけです。

Q. 今の台湾についてどう思いますか？

A. 2019年は台湾では「地方創生元年」とされました。ただ、地方創生に取り組もうとすると必ずこう言う人が現れます。収入を得て生きることこそが大事だと。でも今回のコロナウイルスの感染拡大で、お金と生活という命題について改めて考えさせられました。

生きるという条件だけで言えば、空気と食料と水さえあれば十分なのです。ではなぜ、お金が必要なのでしょうか。それは、現代ではおいしいお水を得

4

5

3 黒豆麹の生育具合を確かめる先代。**4** 丁寧な工程を経て出来上がる御鼎興の醤油。**5** 黒豆麹を甕に仕込む準備をする宜哲さん。

るのにお金が必要な時代になっていて、料理する能力も失ってしまったからお金で買わなければならなくなってしまったからではないでしょうか。もしかしたら数年後には空気もお金がいる世の中になっているかもしれません。

　お金は必要ですが、それで何もかも手に入れられるような錯覚に陥っているのではないでしょうか。私は台湾にいたからこそ、自分たちの土地で作物を育てる大切さに気付くことができました。経済発展を第一に掲げる世の中では土がどんどんコンクリートで埋められていきます。そして、香港のようなビルが林立した社会ではどんなにお金を積んでも、自分たちの土地で育てた作物を食べることはできなくなります。それは人間と故郷のつながりを失うことを意味し、さらには食物の生産力を持つ他国に依存するしかなくなってしまうのです。

　こんな豊かな時代に感染爆発が起こるなんて、誰も予想しなかったでしょう。多くの命が奪われてしまったのはとても残念ですが、地球が人類だけのものではないと知ることができました。命を大事にすることと、自然に適応するということ。そうすれば自然は人々に悪いようにはしないでしょう。私はそう信じています。

Q. 今後の展望は？

**A. ** 黒豆醤油をより多くの人に知ってもらうということ以外に、「自炊文化」の概念の推進も図っていきたいです。食べることに関心を持ってもらって、食材についてももっと知ってもらいたいです。なので「飛雀餐卓」の取り組みを今後も続けながら、地域とのつながりや交流も深めていきたいですね。食事会以外にも料理のデモンストレーションや地方雑誌の発行もやっていきたいです。（宜澂さん）

　御鼎興をより多くの台湾の人に知ってもらいたいし、台湾の醤油を世界にもっと広げていきたいです。今後は同業者と密に連絡を取って、技術でも交流していきたい。3年間の努力の甲斐もあって、発展協会を立ち上げることもできました。台湾の醤油が世界で輝く日が来るのを楽しみにしていてください。（宜哲さん）

御鼎興
ユーディンシン

ADD 雲林縣西螺鎮安定里安定路171-11號
　　　月～日：9:00–17:00　無休

TEL +886(5)586-8272

WEB http://www.ydsin1940.com/

❻ 薪を使って火入れをする宜澂さん。非効率に思えるこの工程も「最高の品質の追求は量に勝る」との理念から。

Akko Liu

アッコ リュウ

Tim Nien

ティム ニェン

「plain-me」共同創設者

ファッション文化の
可能性を広げる

台北出身で電機業界から転身したAkko（右）と桃園出身で日本語学科卒のTim（左）が15年前にスタートしたセレクトショップ。ふたりの美的センスと感性をフルに生かし、日本のURBAN RESEARCHなど各国ブランドのファッションや雑貨を紹介することで、台湾人のオシャレや生活に新しいスタイルを提案し続けている。

日常のささいな会話の中にも
創造のアイディアが転がっている

Q. 現在のお仕事について、内容やコンセプトを教えてください。

A. 実店舗とオンライン販売で、世界各国のブランドを扱っています。ファッションや生活雑貨を通して、お客さんたちに自信や、よりよいライフスタイルを味わってほしいからです。ファッションコーディネートや生きたデジタルコンテンツを提供することで、より多くの台湾人とスタイリッシュな日々を共有し、また海外に台湾文化の魅力を知ってもらえたらいいなと思っています。

Q. 仕事をするうえでのマイルールは？

A. 「自分に限界を作らないってことですかね。最良はない、あるのはより良いものだけ。物事をもっとよく見る方法が必ず見つかるはずだ、といつも思っています」（Akkoさん）

「変化や問題解決を楽しむこと。包容力を養って、未知のことに向かっていくということですね」（Timさん）

Q. これまでどんな商品をセレクトしてきたのでしょうか？

1

2

1, 2「東区」と呼ばれるファッションの流行発信エリアにあるplain-meのフラッグシップショップ。世界各国のブランドを取り扱い、日本の商品をいち早く台湾に紹介してきたさきがけと言える存在。

A. ファッション業界では日本のブランドを数多く取り揃えています。URBAN RESEARCHとか、JOURNAL STANDARD、ユナイテッドアローズのBEAUTY&YOUTHなど。日本のブランドをいち早く台湾市場に紹介してきたと自負しています。台湾内ではファッション業界だけでなく、老舗レストランや自動車メーカー、ドリンクスタンドともコラボレーションしています。

Q. 自身はどんなライフスタイル？

A. 「インドア派で、ゲームやマンガが好きですが、それ以外だとやっぱり洋服が好きなので、ショッピングが仕事を兼ねた趣味ですね。街で仕事をするときは全然疲れませんよ（笑）。今は仕事に打ち込んでいますね」（Akkoさん）

「僕もショッピングが一番の趣味だし、リラックスできる時間ですね。あとは日本の雑誌を読んだり、日本の情報を集めること。やっぱりファッションが一番大事な仕事であり、生活の一部ですね」（Timさん）

Q. 同世代の立ち上げた他ブランドで、注目している人は？

A. ファッションブランド「WISDOM」の創設者でデザイナーの齊振涵（Hans）ですね。台湾ではもともと、若者をターゲットにしたファッションブランドを作る人が少なかったんです。そんななか彼が10年前に勇敢にも若者向けのブランドWISDOMを立ち上げ、展示会とファッションショーを通して地道に作品と評判を積み重ねてきました。現在では確かなポジションを築き上げ、彼らに続く多くのファッションブランドをけん引する存在です。彼らの努力と、この業界に与えた影響には感動しますね。

Q. あなたたちにとって文創とは？

A. 台湾独自の文化と自分の生活を結びつけて表現したものだと思います。たとえば朝ごはん屋さんは台湾ならではの文化ですよね。僕たちはみんなにおなじみの朝ごはん屋さんを視覚や美的センスの面からアレンジして商品化しました。それが「営養早餐店」のファッショングッズです。台湾オリジナルの文化から新しい商品を創り出す。それがplain-meが考える「文創」です。

Q. いまのお仕事における文創とは？

A. 僕たちは丁寧に生活し、生活の周辺をよく観察していれば、どんなささいな会話や行動の中にも、創造のアイディアが見つかると考えています。そういうアイディアの種を、新しい科学技術やビジュアル的な表現と融合すれば、台湾のファッション文化に新しい風を吹かせることができると思っているんです。

Q. 今後のplain-meの展望について聞かせてください。

A. ファッション業界についていえば、台湾はここ数年ますます生活や美的センスを大切にする人が増えています。だから台湾の文化産業については楽観しています。僕らは今後も国内外のいろいろなブランドや異業種とのコラボを通して、またインターネットの力を借りて、全世界に台湾文化や、台湾のファッションブランドのすばらしさを知ってもらいたいと思っています。ファッションコーデとライフスタイルに国境はないはず。世界のステキな一日をコーディネートしていきたいです。

plain-me／台北敦南直営旗艦門市
タイペイドゥンナンジーインチージェンメンシー

ADD 台北市大安區敦化南路1段161巷18號
13:30–22:00 無休

TEL +886(2)8773-2372

WEB https://www.plain-me.com/

3 台湾の朝ごはん屋さんから着想を得た「営養早餐店」のファッショングッズ。台湾独自の文化から新しい商品を創り出す。これも文創のひとつのかたち。

鄭惠中

ジェン フゥイヂョン

「鄭惠中布衣」デザイナー

人間としての
"初心"に返る服

台北市の隣町である新北市にアトリエを構える鄭惠中は、100％天然の植物繊維で作るリラックスウェアの作り手として、40年近く変わらない制作スタイルを貫いてきた。時代の流れとともに、体にも地球にも優しい服としてますます注目を集める存在に。日本でもコーディネーター・青木由香さんの紹介などで広まり、人気が高まっている。

機械化された企業での服作りに疑問
28歳で「天然繊維の服」を作り始める

Q. 現在のお仕事について、内容やコンセプトを教えてください。

A. 一言でいえば、体が求める服を作り、地域社会の幸せな生活を創り出すことです。私は繊維アートを生業としていますが、繊維には大きく分けて化学繊維と天然繊維があります。天然繊維と呼ばれるものの中でも、動物繊維と植物繊維に分けられますが、私は綿・麻などの植物繊維を使って衣服を作っています。

なぜ植物繊維かというと、一つにはそれが体の求めている「呼吸できる」素材だからです。二つ目は「自然・中道・入世」という原則に沿った選択だから（注：「自然・中道・入世」とは、ブッダが悟りを開いた後に提唱した命の原理と生活スタイルのこと）。

私の作る衣服はいわゆる「ブランド品」ではありません。ブランドというのは本来、品質を保証する目印であったはず。しかしだんだんと意味合いが変わり、本末転倒になってきて、誰もが本質ではなくブランド名だけを見るようになってしまいました。私はそうではなく、原点である本質を大切にしたいと思っているんです。

Q. これまでの経歴を聞かせてもらえますか。

A. 小さいころから音楽や美術が好きで、15歳の時に家族と相談してテキスタイルの専門学校に入学しました。そこで学び始めてからいままで、ずっと繊維を使ったアートの仕事をしています。最初に学校に入ったときに、繊維紡績のコースを選んだのですが、本当は建築に興味がありました。でもだんだ

1

1 鄭さんの美的感覚が反映されたアトリエ。店舗スペースもあり、購入もできる。最寄りのMRT板橋駅から少し距離があるので、タクシーの利用がおすすめ。

んと繊維紡績と建築の原理が似通っていることに気が付いたんです。ファッションは動的な、建築は静的な空間芸術だと発見しました。

専門学校を卒業して服役してから、繊維紡績業ではあったのですが、いわゆる「ブラック企業」に就職しました。マニュアル化された作業、3つの班に分かれたシフト制出勤、製造マシンは24時間ノンストップです……。夢とはかけ離れた現実に、私はいろいろ考えざるを得ませんでした。そして28歳の時、自分で事業を始めることにしたんです。社会の主流に流されず、天然の、自然に逆らわない衣服を作ると決めたんです。

その時から40年近く経ちますが、私の製作スタイルはずっと変わっていません。衣服を通してさまざまな人と関わり、ボランティアでいろいろなところを旅して、業界を超えて学んできました。

Q. 他業種や企業とのコラボレーションについてはどのような考えをお持ちですか。

A. さきほども話した「自然・中道・入世」という命の原則に沿っていて、価値観の近い人とであれば、協力し合えるでしょう。これまでに沖縄の草木染の会社が私の服を買って、違う作品に「再創作」したこともあったし、台湾原住民が刺しゅうを施して販売したこともありましたが、命の原則に沿っている限り、商品に執着はしません。「これは私の作品じゃない」なんて言うつもりはないんです。

Q. ご自身の生活で大切にしていることは？

A. やはり「体が求める服作り」「地域社会の幸せを創る服作り」という2点をずっと考え、実践しようとしていますね。私のアトリエは生活エリアにありますから、友人が行き来し、おしゃべりしたり、一緒に地域のイベントに参加したりもするわけです。だから仕事と私生活は切り離せません。

「プロフェッショナル」というと、仕事と私生活が明確に分かれていますが、こういう仕事は「完璧」かもしれませんが、一種の柔軟性や生命の全体から見た完全さを失っていると思うのです。分業によって「完璧」な服はできるかもしれませんが、その方向に発展するのは危険です。私は服を作るとき、糸

を紡ぎ、布を織り、染色から縫製にいたるまでの全行程に関わります。こういう「完全さ」を私は求めているわけです。

Q. あなたにとって文創とは？

A. あるクリエイターや作品に結びつけがちですが、文化というのは個人に属するものではありません。だから「文創」も、もっと集団的なものだと思います。文化全体の変革であり、地域社会の新しい創造性といったものでしょう。ですから一部の人だけでなく、コミュニティ全体に利益をもたらし、一緒にいい方向に発展することこそ、いい形の「文創」といえるのではないでしょうか。

衣食住は生活に不可欠なものです。地域の幸せを創る服作りの過程で、私は古代の人々の考えがとても重要であることに気が付きました。「初心忘るべからず」。人としても地域社会としても、文化の初心をよく考え、原点に返る必要があると思いますね。

鄭惠中布衣工作室
ジェンフゥイヂョンブーイーゴンズォシー

ADD 新北市中和區中山路三段179巷15號
月〜金：9:00-18:00 土日休

TEL +886(2)2225-3839

2 デザイン、カラーバリエーション豊富な100%天然素材を用いたウェアは着心地の良さも抜群。**3** 日常生活から舞台衣装まで、鄭さんの服は世代や流行を超えて愛されている。

毛韋柔
マオ ウェイロウ

「毛屋」管理者

毛鈺婷
マオ ユーティン

「森／CASA＆森初」オーナー

台南の小さな島から
文化を発信

台南安平の海辺にある漁光島。そこにある父で建築家の毛森江が設計したデザイナーズ民宿「毛屋」を運営するのが三人姉妹の三女・毛韋柔（左）。長女の毛鈺婷（右）は輸入家具、台湾や日本の陶芸作品などを取り扱う「森／CASA」を経営。2019年には毛屋のとなりにアートスペース「森初」をオープンし、小さな島から家族で文化を発信している。

島を彩るデザイナーズ民宿と
新たなアートスポット

Q. 現在のお仕事について、内容やコンセプトを教えてください。

A. 「毛屋は、私の父で建築家の毛森江が台南安平の漁光島に作った特色ある一戸建ての宿泊施設です。ここで私は、旅の計画をアドバイスしたり最新情報をシェアしたり、宿泊客と交流しながら地元の文化や自分たちの思いを伝えています」（韋柔さん）

「森／CASAでは2006年からデンマークの家具やキッチン用品、日本の職人が作った生活用品、台湾や日本の陶芸家の作品などの代理販売を始めました。私たちが代理する仕入れ先には共通点があります。それは代々にわたる家族経営です。こうした商品は作り手の思いが深く込められていて、品質に対する要求も厳しいです。

2019年にオープンした森初は森／CASAから発展した、純粋な芸術空間です。場所は漁光島で、毛屋のとなり。台南に遊びに来た人たちに新たなスポットとして、展示イベントやお茶をお届けしています」（鈺婷さん）

Q. 仕事をするうえで重視していることは？

A. 「誠実さです。何事も諦める前に、もう一度五分考えることにしています」（韋柔さん）

「やる気のある空間です。仕事をプライベートと区別せず、熱い気持ちで臨んでいます。そして楽しいことをみんなとシェアして、いい雰囲気を作っていきたいです」（鈺婷さん）

Q. 現在に至るまでの経歴は今の仕事にどう活かされていますか？

1

1 台南安平の漁光島に建てられた毛屋。姉妹の父である建築家の毛森紅氏によって作られた。

A.「高校時代に金物屋でアルバイト、大学を卒業してからは文具会社で美術編集の仕事をしました。その2年後、家業に戻ってコーヒーショップで働きはじめました。私にとって、これらはすべて貴重な経験です」（韋柔さん）

　「大学を卒業してから、最初は証券会社に就職しました。その後が今の仕事です。最初の仕事で職場の環境や同僚との協力が重要だと学びました。正しい人といっしょに仕事すれば正しい仕事ができる。私はこの言葉を信じています」（鈺婷さん）

Q. 他のブランドとコラボレーションしたことはありますか？

A.「国立台湾文学館、書籍分享会、英雄朱古力、東京の芸術家、襲園生活をはじめ、いろいろな組織や個人とコラボの経験があります」（韋柔さん）

　「コラボの相手とは心が通い合っていることがとても重要です。いっしょにやっていて楽しいし、イベントを開催したときは参加する人もいい空気を感じることができるからです。日本ブランドでは茶筒の開化堂、金網つじ、一澤信三郎帆布、台湾ブランドではSt.1 café、糯夫米糕、Butter friendなどとコラボしたことがあります」（鈺婷さん）

Q. 普段はどんなライフスタイルを送られていますか？

A.「プライベートな時間は読書、花の観賞、買えない料理の研究、映画、観劇、音楽、猫と遊んだり、たまに絵を描いたりフィギュアを作ったり。仕事と関係あるなしにかかわらず、自分のためになると思

2 打ちっ放しのコンクリートと本棚が印象的な毛屋のロビー。

ったことは何でもやってます。そして、時にはそれを回りの人にも勧めています」（韋柔さん）

「仕事のときも、仕事が終わってからも仕事のことを話すことが多いです。ですから私の生活は仕事の占める比重が一番大きいです。趣味は料理、コーヒーを淹れること、映画、陶器の修復などです」（鈺婷さん）

「台南へ来たなら毛屋」という
文化を創っていきたい

Q. 過去に影響を受けた人物や物事は？

A. 「大学時代の先生の言葉が残っています。『何事も最後までしっかりやることが大事』。どんなに疲れていても、くじけそうでも、この言葉を思い出して頑張っています。これに似たことはほかの先生にも言われたし、父からもいわれたことがあります。父は私が家業に戻ったとき、日記をつけるように言いました。初めは面倒くさかったですが、一年、二年と続けていくうちに、日記によって仕事や日常のことが観察できるようになり、問題が起こったときは日記を見ればそれが解決できるようになりました」（韋柔さん）

「もっとも影響を受けていて、もっとも尊敬している人は父・毛森江です。彼は自分に対して厳しく要求も高い一方で、友達に対しては優しいです。こうした態度はとても尊敬しているし、私には一生かかってもできないかもしれません」（鈺婷さん）

Q. あなたにとって「文創」とは？

A. 「古い物が必ずしも文化だというわけではあ

3 2019年にアートスペースとして毛屋のとなりにオープンした森初。**4** 毛屋の中庭に面した毛院子では、ブライダルなどのイベントの開催もされる。**5** 森初では開化堂、金網つじ、一澤信三郎帆布など日本のブランドとも多くコラボをしている。

❻

りません。現代のものと過去のものを合わせる。そこに独自の風格が生まれると思います」（韋柔さん）

「文化産業は台湾の伝統的な母親みたいで包容力があります。どんな業種でも生活と関連していれば文化性を備えているし、そこに強い精神的なものが存在すれば自分の特色になります。こうしたものがすべて「文創」だと思います」（鈺婷さん）

Q. 「文創」と、現在の仕事との関係について教えてください。

A. 「文化はその定義が広く、意図的に線引きするものではありません。「これは台湾文化だけど、それは違う」とか、そういう見方は違うと思います。私のイメージする文創は現代人が自分の思いを込めて創り出したものです。将来、それが自分の文化になります。ほかの人が見たとき、あなたのことを思い出すような作品。そういう物を作ることが文創の意義だと思います。私たちも多くの人に対して『台湾へ来たなら台南、台南へ来たなら毛屋』という文化を創っていきたいです」（韋柔さん）

「人の生活も文化もその原点は家です。多くの素晴らしいことが家で始まって外に出て行きます。文創も同じです。わたしにとっては、他の人たちがここに来て、いい物を使うことで、それがさらによく

なるのが理想です。これは記念になるとともに文化を創ることにもなります」（鈺婷さん）

Q. 今後のビジョンを聞かせてください。

A. 「注意深く観察して、じっくり考える。思い切って試して、謙虚な心を保つ。こういう考えで、地球が止まる前に何かみんなを感動させることがしたいです」（韋柔さん）

「将来やりたいことはたくさんあります。それはすべて家から始まります。新しい事業については予測できません」（鈺婷さん）

毛屋
マオウー

ADD 台南市安平區漁光路119巷1號

TEL +886(6)391-2113

WEB http://www.maowu.tw/

森／CASA
モリ／カーサ

ADD 台南市安平區漁光路113號
火～土：12:00–17:00 日月休（森初は予約制）

TEL +886(6)391-2112

WEB https://www.moricasa.com/

---

❻ 美しい夕暮れ時の漁光島。ウォータースポーツはもちろん、芸術祭が開催されるなどカルチャースポットとしても注目を集めている。

中華文化總會／The General Association of Chinese Culture

伝統と次世代をつなぎ
世界に発信していくNGO

台湾カルチャーを推進する組織、「中華文化総会」。日本をはじめ海外からも
注目が集まる台湾のこれからの文化発信について、副秘書長・李厚慶氏に話を伺った。

Q. 中華文化總會（文總）の活動などについて教えてください。

A. 中華文化總會はとても特殊な組織です。台湾カルチャーの推進を目的とした非政府組織（NGO）ではありますが、現職の総統が会長を務めるため、総統の交代によって方向性が大きく変わります。台湾文化を担うアーティストに関心を持っていたときもあれば、中国との往来や交流に重きを置いていたときもありました。

現在、私たちは蔡英文会長の元で、いくつもの興味深いプロジェクトを進めてきました。一つ目は「伝統文化を支える職人と新世代クリエイターの交流」です。一生をかけてただ一つのことに打ち込む職人の物語を5分程度の短い動画「匠人魂」シリーズとして制作してきました。台湾でもあまり知られていない人物にフォーカスしています。現在、20本程度の動画をYouTubeにアップロードしているが、若年層からの視聴も多くとても話題となっています。上の世代と新しい世代の間に交流のきっかけをつくるのがポイントです。

二つ目は「台湾の新世代のクリエイターやアーティスト、ミュージシャン、ブランドのプラットフォームになること」です。彼らが国を代表するようなイベントや祭典で活躍できるようなチャンスをつくっています。例えば、国慶節や総統府落成100周年、総統就任式典などのイベントでは多くの若手デザイナーやクリエイターを起用しています。彼らのデザインやクリエイティブはSNSを通じて、国内外の多くの人々に届けることができます。

三つ目は、「台湾の新世代のクリエイターやアーティスト、ミュージシャン、ブランドを世界に発信すること」です。これまでに、東京ではTAIWAN PLUSという8万人規模のカルチャーイベントを、ニューヨークでは大規模な台湾ミュージシャンによる音楽ライブを、インドでは第六感で台湾を楽しむ展覧会などを開催してきました。また、2019年は「Spend a Night at Taiwan's Presidential Office

李厚慶 リー ホウチン
「中華文化総会」副秘書長

淡江大学公共行政学科卒業。現在、中華文化総会の副秘書長を務め、台湾の国慶節のイベントや世界大學運動會のパレードなどを担当している。東京で台湾のデザインやクリエイティブ、ミュージックを発信するカルチャーイベント「TAIWAN PLUS」、台湾での「Hello, Miss Lin 跨界女神 數位遠境」「城南有意思」などを手掛ける。

1, 2, 3 職人の物語を5分程度の短い動画「匠人魂」シリーズ。琺瑯職人や伝統楽器、ミニチュアの世界の職人などを取り上げている。**4** 2019年インドで開催された第六感で台湾を楽しむ展覧会。**5** 第十回総統文化賞の文化耕耘賞は、世界的な彫刻家・朱銘氏が受賞した。**6** 中華文化総会が主催する音楽イベント、Taiwanese Waves。

BETTER TAIWAN

2017 一起更好

Building（台湾の総統府で一夜を過ごす）」という
イベントを開催しましたが、これは非常に独創性の
ある試みでした。イベントには世界各国のそれぞれ
の国や地域で有名なYouTuberなどを招待して、彼
らの目線から台湾を発信してもらい、その動画の再
生回数は数千万回を超えただけでなく、台湾を深く
理解してくれているようなポジティブなコメントも
多かったです。これまでのようなトラディショナル
な広告手法とは比べられないほど効果がありました。

国慶節のイベントのデザインは、葉忠宜や鄭司維
などのデザイナーが指揮をとっていますが、過去の
イメージにとらわれず、新しい発見を与えてくれて
います。実績があっても現状維持はせず、それを超
越しようとチャレンジする台湾のデザイナーも多く
なっています。他にも、三金（金馬獎、金曲獎、金
鐘獎）などのデザインは方序中や羅申駿が過去のイ
メージから脱却し、新世代の若い人々をプロジェク
トに惹きつけています。

文化には浸透力がある
文化を組み合わせて世界と対話していく

Q. 今、注目している台湾カルチャーのキーパー
ソンは誰ですか？

A. 中華文化總會で最も接点のあるのはデザイナ
ーです。その中でも知名度や貢献度が高いデザイナ
ーは聶永真（アーロン・ニエ）です。彼は総統就任
式典のプロジェクトなどのデザインを通じて、台湾
の今の思いを台湾内だけでなく世界の人々と対話を
していると思います。また、馮宇も注目しています。
彼は2019年の総統府100周年記念のイベントで、
歴史的な建築物の要素を現代的なデザインと結びつ
けて話題となりました。

台湾ブランドで注目しているのは、オーガニック
ブランドの茶籽堂です。総統就任式典でのお土産で
コラボレーションをしましたが、台湾らしさを斬新
なデザインにしてパッケージに表現していました。
アジアだけでなく、世界でも高い評価されるような
台湾発のコスメブランドになるでしょう。また、春

池玻璃というガラスメーカーは、台湾のトラディシ
ョナルな産業にもかかわらず、新世代のデザイナー
と積極的にコラボレーションをしています。彼らは
廃棄されたガラスを再生して使用しており、リサイ
クル経済という概念によって台湾独特の技術を進歩
させ、国際的な舞台で広く知られています。

Q. 台湾のカルチャーの未来についてどのように
お考えですか？

A. インターネットで世界各地の風景を短時間に
見ることができる現在では、それぞれの地方のユニ
ークなライフスタイルやカルチャーが際立ってきま
す。その中で台湾を世界へ発信していくのであれば
さまざまな角度からのコラボレーションが必要でし
ょう。例えば、「台湾のお茶」がテーマだとします。
タイやインドで交流するのであれば、それぞれの国
にあるお茶でコラボレーションすると良いでしょう。
台湾のタピオカミルクティー、タイのタイ式ミルク
ティー、そしてインドのチャイなどです。まず始め
に、それぞれの国としっかり向き合ってどのような
角度で発信すると興味を持ってもらえるかを理解す
ることです。例えば、台湾の音楽が世界に進出する
のであれば、ポップミュージックではなかなか勝ち
目はありません。ただ、原住民のロックや客家のジ
ャズであれば、文化の交わりや背後にあるストーリ
ーがオリジナルなものとなり、言語は分からなくて
も耳を傾けるでしょう。

文化には浸透力があります。私たちが対話をした
いと思っている国が受け入れてくれそうな台湾カル
チャーを選定して、それらを組み合わせてコミュニ
ケーションを密にすることが大切です。もしかした
ら、近い将来、台湾と日本との間にある過去の記憶
が重なり、タピオカミルクティー以上の台湾カルチ
ャーの旋風が巻き起こっているかもしれません。

中華文化総会

ADD 台北市中正區重慶南路二段15號
TEL +886(2)2396-4256
WEB https://www.gacc.org.tw/
SNS ⨍ @GACCTW

7, 8 2020年の総統就任式典のギフトボックスでは茶籽堂（P098）とコラボした。**9** 2018年に第一回が上野公園で開催
されたカルチャーイベント TAIWAN PLUS。**10, 11** 台湾を代表するデザイナー、アーロン・ニエが総統就任式典のプロジ
ェクトなどのデザインを手がけた。

王耀邦
ワン ヤォバン

葉忠宜
イェ ヂョンイー

齋振涵
チー ヂェンハン

「森³」共同創設者

時代の空気をつかみ アートで社会を変える

キュレーション会社「格式設計」キュレトリアルディレクターの王耀邦（右）とデザイン会社「卵形設計」代表の葉忠宜（左）、ファッションブランド「wisdom」クリエイティブディレクターの齊振涵（中央）。それぞれの業界の第一線で活躍する三人がオープンさせた森³は、美を身近に感じてもらう場として時代を写し取った展示を開催している。

1 2019年8月オープン後初めての展示である、台湾の蛾をテーマにした『森山蛾』展。

日常的にアートを楽しめる
住宅街に佇む美術館

Q. 現在のお仕事について、内容やコンセプトを教えてください。

A. 「美」を楽しめる場所は華山1914文創園区や松菸文創園區といった大きな展示会場だけではなく、普通の住宅街にもあっていいと思います。私たちは展覧会に行くという行為を特別なものではなく、日常的な身近なものにしたいと思って森³ sunsun museumを始めました。台湾の住宅は多くが入口のところに壁がありますが、私たちはこれを取り除いてガラスの壁にしました。向かいの公園が見えるようになっただけでなく、「どうぞお入りください」というメッセージも加えています。館内には展示場をメインにコーヒーやデザートを楽しめる森BARもあります。

Q. 仕事をするうえで重視していることは？

A. 慎重かつ大胆です。矛盾しているように聞こえるかもしれませんが、私たちは慎重に計画して、その通りに進まなかったら、そのときは大胆に舵を切ってほかの方法を試してみます。

美術館などの展示会場では通常飲食はできませんが、私たちはコーヒーやデザートを出すことにしました。美術を視覚のみならず五感で味わってほしいからです。これによって「完全な展示」をお届けしたいと考えています。使用するコーヒー豆は期間限定のものを専門の職人に挽いてもらっています。

Q. 現在に至るまでの経歴は今の仕事にどう活かされていますか？

A. 「展覧会キュレーターとしての経験を活かし、

1

2

 に来てあれこれ考えます。

テーマや企画を決めて展覧会を執り行っています」
（王さん）

　「ビジュアルデザイナーとしての経歴から、すべて
のビジュアルデザインの設計しています」（葉さん）

　「ファッションブランドの運営しており、森³では
店舗の運営管理、メディア対応をしています」（齋さ
ん）

Q. 他のブランドとコラボレーションしたことは
ありますか？

A. 森³は私たちにとって理想の空間です。この
空間を共有してくれる、さまざまな異業種の方たち
と、これまで何度もコラボしてきました。

　この空間を作ったとき、最初の展覧会を何にする
か、みんなが思いもつかないものにしようと思いま
した。そこで考えたのはデザインというよりポピュ
ラー・サイエンスをテーマにしたものです。こうし
て選んだのが「森山蛾 Sum Sum Moth」でした。

Q. 普段はどんなライフスタイルを送られていま
すか？

A. 夜眠れないと森³に来てあれこれ考えます。
するとインスピレーションが湧いてくる。こんなふ
うに仕事が生活になっています。好きなことをやっ

ているわけですから、こうなるんだと思いますが、
とにかく仕事と生活を分けて考えることは難しいで
す。この点は三人に共通しています。

Q. 過去に影響を受けた人物や物事は？

A. 以前、ある友達がこんなことをいいました。
「変化さえあれば、それはいいこと」。これを聞いた
時、変なことを言うなと思いました。変化のないも
のなんてないと思ったからです。しかしその後、こ
の言葉が遠くを照らす灯りのように思えてきて、い
ろいろな風景が見えてくることがわかりました。

Q. あなたにとって「文創」とは？

A. 展覧会の企画が単に展示するだけでないのと
同じように、「文創」には重要な条件があります。そ
れは未来を見る力であり、社会の隠れたニーズに耳
を傾ける力です。そして変化によって見る者を観賞
ポイントに導き、分野を越えた専門性とデザインに
よって一種の官能と体験を与えます。また社会現象
を洞察し、それを多く集めることでパワーのある情
報を伝えることができます。その過程では核心が何
であるか、どのような表現方法があるかをはっきり
理解していなければなりません。デザインの美学や
文化の理解を根底に伝えていくと、社会に大きな影

2 印象的な森³のロゴ。企画からビジュアルデザイン、広報まで、共同創設者3名それぞれの得意分野を生かし、アートを身近
にする場として運営されている。

響を及ぼします。

デザインの力に注目が集まる中
体験型の展示でアートを感じてもらう

Q.「文創」と、現在の仕事との関係について教えてください。

A. デザインは今、すでに「純粋な美の追求」や「純粋な機能の追求」の時代を終えました。これは美や機能が重要でないという意味ではありません。よいデザインは、これらはもちろん、ほかにも何か可能性を秘めていて、社会に影響を与えたり、環境を向上させる具体的な行動を生み出したりするということです。

展覧会でいえば、会場を創るときは感情に訴える刺激を与えることが重要です。みんなどうしてこの

3 併設するカフェ、森BARでは阿里山で栽培したシングルオリジンのコーヒーが楽しめる。

展覧会を見に来るのか。ネットや本で見るのとはどこが違うのか。つまり、会場では展示品を見るだけではありません。視覚や臭覚によって空間を感じてもらい、記憶の中にしっかり刻み込まれる情報や新しい見方を生み出し、そこから美というものを理解してもらうのです。

また、展覧会を企画するにはその時代のことを知る必要があります。時代の空気というか魅力を。展示するものは毎回違うわけですが、時代の特色はしっかりつかんでいなければなりません。そして展覧会を美しく設計することに留まらず、鑑賞者が何を見て、何を思うか。そういったことを考えていく必要があります。

森³はオープンから1年になりますが、近所の人たちからは好奇の目で見られています。建物の外からずっと中を覗いている人がいると、出て行って紹介します。すると彼らは入ってきます。そこで彼らに普段とは違った生活を体験してもらうのです。

Q. 最近の台湾をどう見ていますか？

A. 台湾はここ数年デザインの力に対する注目が増しています。大型の展示活動からPR活動まで、さらに公共施設においても積極的にデザインによって空間の価値を高めています。グリーンデザインにしても、単なるエコのデザインに留まらず、時間軸を持った戦略として設計されています。その結果、リサイクルの考えやグリーンサイエンスを産業と結びつけ、社会にさまざまな貢献を与えています。

Q. 今後のビジョンを聞かせてください。

A. 森³はずっと変化を続けてきました。初めは2つの空間がそれぞれ別個にあった感じが今では一体となっています。展示も展示品メインから体験型に変わりつつあります。営業時間も変更するつもりです。平日はみんな仕事があるので、退勤後に来てももう終わっています。遅くまで営業して夜間美術館を観賞してもらうとともに森BARで退勤後のリラックスした時間を過ごしてもらいたいと思います。ほかには森³のブランドをコーヒー、文具、宿泊施設など異なる分野にまで広げて、生活に潤いを与えられたらいいと思います。

森³／sunsun museum
サンサン

ADD 台北市中山區龍江路45巷18號1樓
火～日：14:00–22:00 月休

TEL +886(2)8772-8901

SNS 🅕 @sunsunmuseum 🅘 sunsunmuseum

写真展、ベーカリー、暮らしの器、書店、音楽とさまざまなジャンルの展示がコラボレーションした実験的な企画「森365」展。

林建鋒

リン ジェンフォン

「U.I.J Hotel & Hostel 友愛街旅館」取締役社長

台湾文化と
世界をつなぐ
旅の宿

2018年、台南市に「U.I.J Hotel & Hostel 友愛街旅館」がオープンすると、たちまち話題となり、台湾中、世界中からバックパッカーたちが集まってきた。ゲストハウスらしくない洗練された外観や内装だけでなく、そこには台湾文化に触れ、世界中の旅人たちと交流する楽しい仕掛けであふれていたからだ。

読書、音楽、現地ならではのイベント
訪れるたびに違う体験ができるホテル

Q. 現在のお仕事について、内容やコンセプトを教えてください。

A. ドミトリータイプの部屋を備えたホテルを経営しています。客室だけでなく、館内に快適にくつろげる空間を設けていることが、一般的なゲストハウスと違うところですね。庭でお酒を飲みながら友達とおしゃべりする場所もあるし、近くの伝統市場で食材を買ってきて、広々としたオープンキッチンで料理することもできます。イベントホールもあるし、一階のロビーには書店、レコードショップ、カフェバーも……読書や音楽の体験が、何度訪れても違う思い出を彩ってくれます。僕らはこのホテルが、台南文化と世界が交流するプラットフォームになったらいいなと思っています。アーティストの展覧会や、台湾の観光スポットを集めた写真展などのイベントを開催しているのも、何度も台南やこのホテルを訪れて新しい体験をしてもらいたいから。台南旅行のリピーターが増えたら嬉しいし、U.I.Jに泊まりたいからと台南を訪れる方もいる。僕らにとっては嬉しい変化ですね。

1 U.I.J Hotel & Hostel は台南旧市街の中心部を通る友愛街に立つ。**2** ホステル部にはドミトリー形式で110床、ホテル部の87室の客室は5種類の部屋が選択できる。赤レンガが特徴的な明るく清潔な客室。

Q. 仕事において重視していることは？

A. 「誠実であること」でしょう。お客様に対しては、できることだけお約束します。館内で提供しているサービスについては、大々的な宣伝などしていないのですが、お客様がU.I.Jの細部を気に入って、友達と共有してくれました。また筋を通すことも大事。価値観にのっとり一貫した行動をとることが大切です。嘘をついたり、地に足のつかない行動をして、自分も納得させられないようでは、他人への説得力がありません。

Q. これまで他業種とコラボレーションした例を教えてください。

A. ホテルがオープンした2018年の年末に、Bar TCRC（P024）のオーナーが、台湾でウイスキーの試飲をフィーチャーしたいという話が持ち上がりました。なにか楽しい方法で、ウイスキーが日常生活に溶け込むようにPRしたいということだったので、オープンの日にイベントを企画したんです。ホテルの3フロアを使って、チケットを買って入ってもらい、ウイスキーハンバーガーやウイスキーウインナー、ウイスキーアイスなどを味わってもらいました。2019年末にも同じようなコンセプトで、イラストレーターのWHOSMiNGとコラボして、「コーヒーと旅行」というテーマで2日間のイベントを開催しました。異業種にも注目している人はたくさんいます。ブランドというのは哲学を具体的に実践したものだと思うんですよ。

Q. あなたにとって文創とは？

A. 実は、あんまり「文創」という言葉が好きじゃないんです。いまでは万能薬のように使われていますが、言葉というのはもっと慎重に扱うべきでは

ないでしょうか。同じ「文創」の二文字を冠していても、それぞれ違いがあります。文化というのは伝統かもしれないし、また新しいトレンドかもしれない。そしてクリエイティビティというのは、人々のニーズに寄り添っていろいろな可能性を探ってこそ価値がある。文化と創意の間にある本質を、もっとしっかり考えるべきだと思います。

いずれにしてもU.I.Jは自分たちが価値を見出したことをやっていくということです。たとえば環境保護の観点から使い捨て用品をできるだけ使わずにサービスする、リユースできるアメニティもそのひとつです。

Q. 最近の台湾をどう見ていますか？

A. 世代交代の真っただ中で、若い人たちにとってはなかなか険しい道のりだといえます。でも僕は台湾の若者のポテンシャルを信じています。台南にU.I.Jを作ったのも、若者のためにいい舞台を用意したいという気持ちもあったんです。

台湾人にはサービス業に適した資質がたくさんあると思っているんです。真心があって優しく、お客様に対して誠実に対応しようという気持ちは、誰でも持てるものではありません。世界のサービス業界でいい人材を探している時、真っ先に台湾人が思い浮かぶような未来が来るんじゃないかと期待しています。

U.I.J Hotel & Hostel ／友愛街旅館
ユーアイジェリュグァン

ADD 台南市中西區友愛街115巷5號
TEL +886(6)221-8188
WEB http://www.uij.com.tw/

---

3 食文化にまつわる書籍を取り揃えた終日営業の本屋「物物書BBBooks」をはじめ、文化交流のスペース「サロン　ニイハオ」、料理の腕前が披露できる「共用キッチン」など、共用エリアも充実。**4** 2018年の年末に開催された、Bar TCRC（P024）のオーナーとのコラボレーション企画・Tainan Whiskey Day。

洪和培

ホン ファペイ

謝欣曄

シェ シンイェ

「本事空間製作所」メインデザイナー、デザイナー

その空間の持つ
オリジナリティを
引き出すデザイン

本事空間製作所は1979年南投生まれのメインデザイナー洪和培（右）と、1983年宜蘭生まれのデザイナー謝欣曄（左）を中心に、特殊工法や建材にもこだわったインテリアデザインを目指している。台北の「詹記麻辣火鍋敦南店」や台南の「PARIPARI」など台湾各地の人気店のデザインを手がけ、空間と店の魅力を最大限に引き出している。

素材や音響、様々な可能性を追求し
空間の持つ言葉や体験に発展させる

Q. 現在のお仕事について、内容やコンセプトを教えてください。

A. 「インテリアデザイナーです。ホテル、レストラン、店舗、オフィスなどの商業空間のほか住宅の設計もやっています」（洪さん）

「私もインテリアデザイナーです」（謝さん）

Q. 仕事をするうえで重視していることは？

A. 「空間のオリジナル性を重視しています。その仕事独自の概念を見つけたいからです。さらに、そこからその空間の持つ言葉や体験に発展させたいです。あとは特殊工法や質感といった建材の可能性にもこだわりたい。このふたつは事務所のモットーです」（洪さん）

Q. 現在に至るまでの経歴は今の仕事にどう活かされていますか？

A. 「最初の仕事は工事現場の監督でした。そこでひとつの建物ができるまでにどのような専門技術が必要なのか、ひとつの空間が完成するにはどのような建材や工法が用いられるのかを学びました。次の仕事は室内設計の監督です。このときはどうすれば細かなところまで空間を上手く処理できるのかを学びました。このふたつの経験が今の仕事に大きく役立っています」（洪さん）

「今の仕事をする前は建築事務所で古跡修復をしていました。ほかにも台南321巷藝術聚落に申請し

1

1 東門駅近くの台湾雑貨の人気セレクトショップ、來好嶼聲。音楽をビジュアルコンセプトにした店舗の空間デザインは本事空間の手によるもの。

て近所の人たちといっしょに『南國小夜市』を企画しました。そのとき空間をどう利用してイベントを行うのか、古い建物のリノベーションはどうすればいいのかを学びました」（謝さん）

Q. 他のブランドとコラボレーションしたことはありますか？

A. 「コラボの相手選びは友達を選ぶのと同じです。感覚が近くて、価値観や考え方も似ている相手ということになります。2019年にはセレクト雑貨の『來好─嶼聲』とコラボしたんですが、彼らは音で台湾を表現します。空間の中に音を発する装置をいくつも設計して聴覚に訴えかけたんです。おもしろかったですよ」（洪さん）

Q. 同時代で興味を持っている台湾ブランド（人物）とその理由は？

A. 「空間デザインの分野では、日々驚くような作品が発表されています。ですから、特定のだれかを注目するというより、大勢の才能ある人たちの大きな力に興味を持っています」（洪さん）

「台南の『二子咖啡』を設計した『八目設計協製』です。働いているのはほとんど若いデザイナーですが、彼らは将来素晴らしい作品を作ると思います。もうひとつは『人人治業』です。空間素材の運用が

たいへん好きです。単一素材で多くの可能性を表現しています」（謝さん）

Q. 普段はどんなライフスタイルを送られていますか？

A. 「自分で会社を始めてからは休みでも仕事のことを考えることがよくあります。設計とか工程とか、最近では経営とか営業とか。でも、ちゃんと休まないといけないので、家で家族と過ごしたり運動したり、できるだけ気分転換するように心がけています」（洪さん）

「写真撮影です。以前は山に登ったりキャンプに行ったりして、その記録を撮っていましたが、最近

2 台南321巷藝術聚落で企画した南國小夜市。飲食の屋台はもちろんのこと、工芸品や写真撮影などアートにまつわるものも出店し、多くの人が集まった。古い建物の活用や違う業種とのコラボなど、ハードだけではない、ソフトの作り方も含めた運営を手がけた。

は『看不見的城市』（イタロ カルヴィーノ著『マルコ・ポーロの見えない都市』）という本の中にあるような街の記録を残しています。街を観察していると、街が理解できます。これはデザインの仕事をする上でも役立ちます」（謝さん）

Q. 過去に影響を受けた人物や物事は？

A. 「大学時代の設計課の先生です。彼は異なる角度から物事を観察したり考えたりすることを教えてくれました。この考えはその後の自分のデザインに大きく影響を与えています」（洪さん）

「321巷藝術園區に『萬屋砌室』というエリアを出したときです。はじめどう展開したらいいかわからなくて、共同運営者の骨董店主に頼んで日本のアンティーク家具を並べたんですが、どうもイメージが違う。ということで、台湾の家具を置いてみたんです。すると何とも言えないバランスの面白い空間が出来上がって、予想外の好評が得られました。ほかにも近くの出店者たちといっしょに『南國小夜市』を企画して、いろいろな物を売りました。この経験を通して、コラボのやり方を学びました。これまでやって来たのは『ハードの建設』でしたが、このときは『ソフトの創造』でした。空間がいかに美しくても、魅力ある内容が備わっていないとだめだと思います」（謝さん）

文化の伝承の上に創造がある
文創は台湾に対する愛の産物

Q. あなたにとって「文創」とは？

A. 「創造は単独では存在し得ません。必ず文化の伝承の上にあります。これを理解していないと、とても表面的な浅いものになってしまいます。台湾でもいい『文創』はこの土地のことをしっかり伝えています」（洪さん）

「文創といっても以前は形式的なコピーが多かっ

4 行列の絶えない人気店、詹記麻辣火鍋敦南店（P014）の空間デザインを担当。レトロなビジネスビルの特徴を生かしながら、今にないものはわざわざオーダーメイドして設置する徹底ぶり。**5** 台南の人気どんぶり店、zyuu tsubo。カウンターに10席と狭いながらも、古さとおしゃれの同居する空間となっている。

6

たんですが、去年行われた台湾文博会やTAIWAN PLUSには創造的な作品がたくさんありました。政治や歴史といった分野でみんな台湾のことを深く理解するようになって、台湾に対する愛が深まり、大きなエネルギーが生まれたんだと思います」（謝さん）

Q.「文創」と、現在の仕事との関係について教えてください。

A.「空間デザインは二つの要素があります。ひとつは材料、もうひとつは設計です。材料はこの土地に求めることができます。一方で設計はこうした枠を超えています。たとえば市場でよく見かける卵を入れる籠だったり何かを囲う柵だったり、インスピレーションを働かせてこうしたものをまったく違う用途に使うんです」（洪さん）

「さきほどお話しした『南國小夜市』では、築95年の古い家屋を使用したことで当時の建築家たちの知恵を実感しました。現代は工具も材料も便利になったんですが、空間設計に面白味がなくなったと思います。少し残念です」（謝さん）

Q.最近の台湾をどう見ていますか？

A.「今、台湾は不確実な時代にあると思います。とにかく変化が速い。だからみんな直感を大切にし

ます。でも、直感が外れたらどうなるでしょう。時にはたいへんなことになります。そんなときは少し離れたところに立って、ゆっくり観察するんです。『世界は速くても、心はゆっくり』。そんな感じです」（洪さん）

「台湾は過去の歴史を訪ねることで、文化的に大きな発展の可能性を秘めていると思います」（謝さん）

Q.今後のビジョンを聞かせてください。

A.「仕事で考えているのは、新たな材料の質感を研究して、工法上の可能性を探るということです。デザイナー事務所は戦いの毎日ですが、これは戦場で戦うというより武器を開発するような仕事です」（洪さん）

「古跡のリノベーションと海外空間の設計です」（謝さん）

本事空間製作所
ベンシーコンジェンヂーズオスオ

ADD 台中市西區福龍街7號2樓
TEL +886(4)2206-3227
SNS @SkiLability skillabilitydept

---

6 zyuu tsuboのはす向かいにあるアンティークショップPARIPARI。2階はカフェになっており、タイル張りのカウンターなどモダンな店内で一休みできる。

Nato
ナト

Trista
トリスタ

「鶴宮寓／hók house」「亀時間／goōod time」主人

地域の歴史と伝統を
旅人たちと共有する

旅行好きの夫婦NatoとTristaはある日、高雄の「美麗島」駅の近くで1960年代に建てられた「鶴宮大旅社」という宿と出会う。当時の台湾ではまだまだ少なかった現代設備を備えたこの宿を気に入った2人はここをリノベーションして、2016年にゲストハウス「鶴宮寓／hók house」をオープン。高雄にやってくる旅行者たちに、その歴史や魅力を伝えている。

1 1960年代に建てられた「鶴宮大旅社」をリノベーションして、2016年にオープンした鶴宮寓。

高雄という土地と自分のルーツを発見
既存のものから新しい解釈が生まれる

Q. 現在のお仕事について、内容やコンセプトを教えてください。

A. 縁あって出会った「鶴宮大旅社」という宿をリノベーションしたB＆Bを経営しています。もともとの建築を生かして内装を作り、「鶴宮」の文字ももらいました。旅する人たちのタイムマシンとなって、かつて大港埔と呼ばれたこの街のノスタルジックな雰囲気や、イキイキとした姿を思い出してもらいたいと思っています。

併設した「亀時間café」は「産地とテーブルを結ぶ」をコンセプトとした食堂兼カフェのスペースです。Tristaが日本で野菜果実Labを主宰する料理家の篠原有紀子さんと一緒にアジアの食材を研究し、季節ごとにテーマに沿った料理を提供する「節氣食旅 farm to table project」を開催しています。このイベントをはじめてもう5年になりますね。台湾南部の小さな農場が作られる食材をたくさん使っていますので、地元の旬の食べ物が味わえます。

Q. 仕事上のマイルールは？

A. 人と人とのつながりを大切にしています。ゲストハウスでの10年間で感じたのは、宿以外のプロジェクトや企画、「節氣食旅」のイベントやカフェの経営など、すべては泊まりに来たお客さんたちのつながりから生まれたものだということです。ですから、私たちが営むこの空間に、まだ行きたいと思ってもらえるかどうか、それがすごく大切。またお客さん同士の関係が発展したり、将来的に何か一緒にできる機会がないかどうかも、常に気にかけてい

1

ます。

Q. これまで他のブランドとコラボレーションしたことはありますか。コラボ企画の時にはどんなポイントを重視していますか。

A. シェキキというゲストハウスと、これまでのお客さん、私たちのスタイルを知っていて、時間をかけて友人になった人たちです。この土地ならではのものや新しいアイディアに触発されて、交流を温めているうちに、暗黙の協力体制ができました。コラボレーションについては、目先のことにとらわれず、ゆっくりと長く続くことを目指しています。

Q. オフはどんな風にすごしていますか？

A. いまは生活の95％を仕事に費やしていますね。まだ事業を始めたばかりで、いろいろな企画を試しているところですから。

週に一度は自然の中に出かけていくようにしていて、スピリチュアルな食事や癒しの時間みたいに、生活の中で大切な習慣となっています。たとえば登山や台湾の郊外への小旅行、食材探しなどを通して、この土地についての理解を深めるわけです。自然というのは生活や仕事にたくさんのインスピレーションを与えてくれますが、たとえ同じ場所であっても、季節によって感じ方や理解が変わってくるものなんです。鶴宮寓を始めてから1年に2回は海外を旅しようと思っていますが、できればもっと増やしたいですね。自分が旅人になって感じたことや経験が、鶴宮寓や亀時間を立ち上げた時の初心を思い出させてくれます。

Q. あなたにとって文創とは？

A. 既存の伝統が、新しい方法で表現されるということではないでしょうか。正直言って僕自身もこれまで文創についてじっくり考えたことがないのですが……。

鶴宮寓も、宿がある美麗島がかつて大港埔と呼ばれ、もっとも活気があり華やかだった1960～80年代にスポットを当て、そのころの歴史や生活スタイルについて、建物やサービスを通じて旅人たちに感じてもらいたいと思っています。篠原さんとのコラボレーションで、地元の食材を探すために農家を訪ね歩いたんですが、食材探しをするうちに高雄というこの土地と自分のルーツを発見しました。そのスピリット「亀時間」で表現しているわけです。旅人同士が交流したり、いろんな角度から見てくれるおかげで、既存のものから新しい解釈が生まれることもあります。

Q. 今後の展望について聞かせてください。

A. 今年は「おみやげ」の商品開発を予定しています。現地の食材を使ったジャムやビスケット、良質な台湾茶やはちみつなど、台湾南部ならではの商品を選び、旅行者に高雄で感じたものを持ち帰ってもらえるようなデザインや包装を考案中です。亀時間ではアンティークの販売も企画しています。長期的には、地域の店舗を新旧関わらずつなげていきたいですね。伝統を受け継ぎながら新しい文化と、未来への礎を作っていきたいです。

鶴宮寓／hók house
フェアゴンユー
亀時間／goöod time
グゥイシージェン

ADD 高雄市新興區中正四路41號
TEL +886(7)201-1988
WEB http://hokhouse.com/

2 台北と長野県松本市の二拠点で活動するイラストレーターとデザイナーの制作チーム・山鳩舎が手がけたギャラリースイート"千年萬年room"は2021年の2月末まで期間限定で宿泊可能。**3** 併設した亀時間は「産地とテーブルを結ぶ（farm to table）」をコンセプトとした食堂兼カフェスペース。料理家の篠原有紀子さんと一緒に料理イベントも開催している。

薛舜迪

シュエ シュンディ

「永心鳳茶」「心潮飯店」創業者

オシャレに
台湾料理への
イメージを一新

1983年7月6日生まれ。高雄出身。高雄餐旅大学飲食管理学科卒。新感覚台湾料理を出す「老新台菜」を高雄にオープンし、有名店に育て上げる。続けて、オシャレな空間で台湾茶と料理が楽しめるティーサロン「永心鳳茶」で台北進出を果たし、熱炒（台湾式居酒屋）の料理をスタイリッシュにアレンジした創作料理と共にお酒も楽しめる「心潮飯店」を台北のデパート内にオープン。

1 高雄にある永心鳳茶の本店。台北のお店と比べて広々としている。

伝統を変革させ、
若者が受け入れられるものに

Q. お店のコンセプトについて教えてください。

A. 高雄の創作台湾料理店「老新台菜」とティーサロン「永心鳳茶」、お酒も楽しめる「心潮飯店」、この3店の飲食店を経営しています。それぞれ違う店ですが、共通しているのは台湾料理や台湾茶に工夫を加えた創作料理がメインであるということ。台湾料理を新たなパッケージで包み直し、その価値を高めることで消費者の台湾料理へのイメージを一新することを目指しています。例えば永心鳳茶は、若者たちに台湾茶を楽しんでもらうためのティーサロンを作ろうというのが始まり。心潮飯店では熱炒（台湾式居酒屋）で出される料理を五感で味わえるようアレンジし、台湾料理を食べることがオシャレに感じられるようにしました。

Q. 仕事をする中で最も重視していることは何ですか？

A. 仕事で最も重視しているのはクオリティーです。料理からサービス、内装、デザインまで、目で見えるもの、感じられるものは全て細かいところまでこだわり抜きます。ブランドのこだわりを体現することで、消費者に完全な形で届けたいと思っています。なので、スタッフたちにはクオリティーの大切さを説くようにしています。細かいところにこそ神髄があり、隅々まで気を配り、敏感さを保つことで持久力のあるブランドに育つと信じています。

1

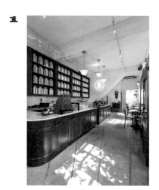

Q. コラボレーションの経験などはありますか？ コラボする相手を選ぶ基準は？

A. 面白くて新しい化学反応が生まれそうな、もしくは消費者にこれまでとは違う体験をもたらせるようなことならば、どのようなコラボでもぜひチャレンジしたいです。

例えば2019年には永心鳳茶がダイニングバー「貓下去敦化倶楽部」とイベントを開催しました。夏の夜に開いたのですが、異なるスタイルのブランドでも全く違和感がなく、レトロ感漂うパーティーとなりました。同じ年には会員制のバーと「茶酒ナイト」をやりました。コラボを通じて多くの料理と娯楽の新たな可能性を感じました。現在、これ以外のブランドとも商談中です。性質が近いブランドとの協業は産業全体のレベルアップに、異業種とは化学反応の発生にそれぞれつながるので、いずれも大歓迎です。

Q. 注目している人はいますか？

A. 同世代で言えば、「貓下去」を手掛ける陳陸寛ですね。別の場所で小さな店から始め、飲食の多様性をどんどん広げていき、一般的な飲食へのイメージを覆しました。料理でも内装でも、経営方法でも、既存の殻を破りどんどん挑戦していく姿は、数少な

い台湾の飲食業の戦士とも言えると思います。

センスは探すのではなく、日常の蓄積 料理に関わる経験が糧に

Q. ライフスタイルについて教えてください。

A. 家族の関係で飲食の世界に入ったのは早かったです。なので、仕事とプライベートは基本的にはつながっています。普段は骨董屋巡りが好きで、手が空いた時にはインスタグラムをよく見ています。好きなデザイナーや骨董品のコレクターが更新していないかチェックするんですが、センスというのは必要な時に探すのではなく、私の場合すでに日常になっているんです。東京の骨董市にもアンテナを張っています。美しい一品には非常に魅了されますし、

2 中山駅近くの新光三越の中にある永心鳳茶新光南西店。レトロでありながら洗練された空間でティータイムを過ごせる。**3** 台中の勤美誠品緑園道内にある永心鳳茶勤美誠品店。

全ての品にはストーリーが隠されているので歴史の象徴ともいえます。そして、自身の店をどのようにデコレーションするかというところにもつながっています。骨董以外では、新しい料理にチャレンジするのも好きですね。長い間、飲食に携わっているからか、新しいレシピ、調理方法、味覚の蓄積はデータベースとなっていて、生活の中に仕事が溶け込んでいるとも言えるでしょう。

Q. 人生でどんなことやものに影響を受けましたか？

A. 若いころに読んだ「老子道徳経」には様々な物事への向き合い方が書いてあるのですが、自分の人としての在り方の大原則となっていると思います。道家の思想では、富貴だからといっておごったり、所有することに満足したりしないことを説いています。そして、人や物事に対して、必要以上に介入せずに、成り行きに任せるようにとされています。これは自身のマネジメントにも生かされていて、スタッフには得意なことを伸ばしてもらい、ルールや制限で縛ったりしないようにしています。でも彼らが迷ったときには、適度に介入し、かじ取りの役割を担います。なので仲間たちとの付き合いは自然で、調和がとれていると思います。放任はしませんが、それぞれ自由に個性を発揮してもらいたいと考えています。

Q. あなたにとって「文創」とは？

A. 台湾の文創に対して、私は前向きな考えを持っています。基本的には台湾の昔ながらのものを新しいブランドに生まれ変わらせる、もしくは伝統建築を意味のあるものに、そして若者世代に台湾を知ってもらうものにするという意味合いがあると思っていますが、いずれも多様で積極的な文創の方法だと思います。文化創意というのは何か制限を掛けたり、枠でくくったりできない抽象的な概念ですが、文創でラッピングすることで、台湾の美しい文化を伝承することができる。そしてこれこそが、私が飲食で体現しようとしている核心的な価値観なのです。

Q. 文創と今の活動の関わりについて聞かせてください。

A. 簡単に言えば、料理で表現するということですね。例えば、お茶を味わうということをいかに若者世代のトレンドとしてラッピングするかということを考えたときに、カフェや茶芸館以外の選択肢を提示したいと思ったのです。または、チャーハンをいかに斬新で、より食欲のわく料理に一新するか、伝統を残しつつ、新鮮味のあるものにするか。これ

 熱炒（台湾式居酒屋）を今の時代に合わせて新しく解釈した心潮飯店。

らが我々のブランドを作る卜で私が優先的に考えていることです。料理以外でも、内装やデザインも文創を実践する上で不可欠なカギですね。空間の中に歴史建築の要素を取り入れ、さらに「オシャレ」な雰囲気も加えていく。その過程は歴史、文化、生活の相互作用で、その全てがつながっていて、それぞれが不可欠なものなのです。

Q. 今の台湾についてどう思いますか？

A. 台湾は古典的で伝統的な文化を有しています。例えば、台湾で使われている繁体字だったり、歴史的な建物だったり、そして時代の流れの中で残されてきた書物や文物、いずれもかげかえのない文化の特質です。なので、これらの歴史を台湾人が持つ根っからの寛容さや善良さと共に世界の舞台へと届けたいと思っています。また新型コロナウイルス対策で成果を上げたことなどで、台湾を知ってもらった今こそがそのチャンスが訪れた最良のタイミングだということも証明されたと思います。

Q. 今後の展望は？

A. 今の仕事では、もちろんブランドの海外展開です。長期的には、飲食を出発点として、台湾のセンスある生活に派生させたいと思っています。必ずしも料理ではなく、衣食住ををまたぐ領域が良いと考えていて、それは規模は大きくないけど私の好きな生活の細かいものごとが散りばめられた民宿もしれませんし、もしくは台湾っぽさがあふれる少し変わったセレクトショップかもしれません。台湾式の飲食店という初心を忘れずに、台湾の生活のセンスを確立させたいというのが目標ですかね。

永心鳳茶 新光南西店
ヨンシンフォンチャ シングァンナンシーデェン

ADD 台北市中山區南京西路15號3樓
（新光三越南西店内）
日〜木：11:00–22:00　金土：11:00–22:30　無休

TEL +886(2)2581-9909

SNS ☻ @yonshintea

心潮飯店
シンチャオファンデェン

ADD 台北市信義區忠孝東路五段68號2樓
（微風信義内）
月〜木：11:00–21:30　金〜日：11:00–22:00
無休

TEL +886(2)2723-9976

SNS ☻ @sinchaoriceshoppe

5

5 2019年に高雄で開催されたイベント、港都戀惜曲に出店したときの様子。台湾各地から80を超えるショップやブランドが集まった。

李霽

リージー

「質物霽畫」アートディレクター

自然と空間の調和から
生まれる表現

台湾東部の花蓮で生まれ育った李霽は、大学時代に学んだ建築学を生かしたダイナミックな空間の使い方と、植物を使った美しいアートディレクションで注目を集めるアーティスト。台北の大龍峒という昔ながらのコミュニティで路地裏にオープンしたアトリエには、自然からインスピレーションを得たオブジェや雑貨の数々が並んでいる。

最も影響を受けたのは花蓮の自然
創作の背景はすべて台湾とつながっている

Q. お仕事の内容やコンセプトについて教えてください。

A. 私の仕事は、ブランドの運営と今後の発展を考えることです。アートチームにインスタレーション作品、ビジュアル関係のコラボレーションに加えて、空間設計、家具、アパレルなどさまざまな分野のデザインについてアイディアを広げています。家具デザインについては2020年半ばに新たなブランドチームを編成し、本格的にスタートする予定です。またアパレルについても持続可能なビジネスモデルにするための方法を模索中です。今年（2020年）の11月には20パターンのシリーズを発表できると思います。

質物霽畫はブランドを立ち上げて以来ずっと環境問題にスポットを当て、さまざまなアートやデザインに表現してきました。環境を消耗しすぎず、生活の品質向上と未来の改善を願っています。

Q. これまでの経歴は？

A. 桃園の中原大学で建築学を学んだ後、建築事務所に5、6年勤めました。その後独立して2013年に質物霽畫を設立しました。建築を包括的に学んだことは、現在アートディレクターとしてインスタレーションのコンセプトを進行するのに役立っています。空間の本質を研究することで、それぞれの可能性や価値を理解し、見る人がより共鳴できる作品

1

1 写真のエルメスとのコラボをはじめ、世界的なブランドの空間デザインを手がけている。

2

4

を生み出すことができます。インスタレーション以外にも、空間、プロダクト、アパレルデザインに至る活動の中でも、やはりある程度は建築の考えやスピリッツを持ち続けていると思いますね。

Q. 他のブランドなどとコラボするときにパートナーシップの基準となっているのは？

A. 最も重要なのは、会社がブランドの価値を向上させ、それまでの座標軸を超えられるかどうかということです。アートやデザインの価値以外にも、コラボレーションの過程では他ブランドの運営や基準といったものを学ぶことができます。これまでにエルメス、グッチ、シャネル、リモワ、メルセデスベンツ、伊勢丹などさまざや分野のブランドや企業とコラボレーションしてきました。

Q. 影響を受けたモノや人は？

A. 最も影響を受けているのは自然環境だと思います。私は花蓮の生まれなのですが、いつも故郷に帰るたびに、自分自身が新しく整理されたような気がします。

この２年間「霊気」を学んでいるのですが、学び始めてから自分を発見し、感じる力や直感が強くなっているんです。自分を清めて整理していくうちに、自然環境の道理に近づいていって、自分の価値観や、自分がやっていることのすべてを、より平和で調和の取れたものにしたいと強く意識しています。

Q. あなたにとって文創とは？

A. 台湾で行われたすべてのプロジェクトは、文創の一環であると私は思っています。文創というのは地元に根ざしているので、商業的または創造的な意図のどちらも、地域経済システム、消費概念、美的認識などを拠りどころとしているからです。

私の仕事は、概念的な視点から考えることです。すべての条件、スケール、ブランドの内包する意味、それを鑑賞する人や消費者。その背景はすべて台湾という土地に関連付けられているんです。台湾は国際的に特殊なポジションと問題を抱えていますが、その独自性ゆえに、積極的な交流と活気にあふれていると思います。

Q. 今後の展望について聞かせてください。

A. 家具、アパレル産業へと展開し、ライフスタイルに関する事業を統合することにより、ブランドの価値をより包括的で、完璧なイメージにしていきたいと思っています。

3

質物霽畫
ヂーウージーファ

ADD 台北市大同區承德路三段90巷14號1樓
WEB https://bvlc.world/

2 台湾の有名レストラン「RAW」の店内を彩るアート作品『The Structure of Spring』。**3** 質物霽畫のアートチームはインスタレーションや空間デザインだけでなく、家具やアパレルなどさまざまな分野にまでデザインアイディアを広げている。**4** 2019年に開催された無機物をテーマにした展覧会「無機體」。写真左は『人行道（歩道）』、写真右が『柏油（アスファルト）』。

郭恩愷

クォ エンカイ

「曲墨建築建築師事務所」木材構造ディレクター、
淡江大学兼任講師

森林と共に生きる
木造建築

台北出身。台北の建築事務所で働いた後、イギリスのAAスクールで木造建築を学ぶ。同級生と立ち上げた建築事務所では木材そのものを生かした独特のデザインを追求し、台中のフラワーショップを手掛けた「ασ」でiFデザインアワード2020を受賞するなど活躍。大学講師としても活動し、次世代の台湾木造建築を変える存在として注目されている

一生懸命に木材と向き合い創作する
"職人"の魂を持った木造建築師

Q. 現在のお仕事について、内容やコンセプトを教えてください。

A. 森林や木材とともに仕事ができている私は本当に幸運だと思います。大学で建築を学んだのち建築事務所で働いていたのですが、2015年にインターネットで一枚のスナップ写真に出会ったんです。イギリスの建築学校・AAスクールが所有するHooke Parkという森林キャンパスの中で、研究生が木造建築の作業をしている写真でした。それを見て仕事を辞めてイギリスで学び直そうと決めました。その年、世界各地から集まった7人の研究生がHooke Parkで研究を行い、私は木材構造の「蒸氣彎曲樹」という実験的な作品を制作しました。この研究が私を『森林資源の永続的な再利用』という世界に導く人生のターニングポイントとなったんです。

現在は建築事務所で木材構造デザインのディレクターを務めながら、淡江大学の建築学科で兼任講師

1

2

1 英国AAスクール時代に制作した「蒸氣彎曲樹」。**2** フラワーショップとのコラボで手がけた室内デザイン「ασ」は、国際的なデザイン賞である2020年のiF DESIGN AWARDを受賞した。

としても働いています。大学では「森林木十人（Design+Build Forest Architecture Studio）」というアトリエを作り、毎年有志の四年生と一緒に、台湾の国有森林に木造の施設を作っています。二足の草鞋を履く今の生活は楽しいですよ。

Q. 曲墨という事務所の名前の由来は？

A. 曲墨は2017年にイギリス留学から帰国して、建築学科の同級生で友人のYu／黃昱豪（ファン ユーハオ）と立ち上げた事務所です。「曲」はAAスクールでの制作した「蒸氣彎曲樹」から取り、「墨」はYuが取り入れた毛筆のテキストをデザインに組み込むアイデアから取りました。

Q. 仕事のうえでのマイルールは？

A. まず一つのことに集中する、ということです。雑念をなくして、木材に集中するのが私のスタイルです。簡単に見えて難しい。設計から制作までずっと没頭した時は感動を覚えますね。思うにこれは日本の職人気質、「一生懸命」の精神にかなり似ていると思います。

Q. 他業種とのコラボ経験はありますか。

A. 新竹の地元で経営している正昌製材廠という木材工場で、材料集めの共同作業をしたことがあります。また木造建築の案件では台中の「中興工廠 re_Gartory」というフラワーショップとのコラボで「α σ」という室内デザインを手がけましたし、「EMBERS」というレストランなどさまざまなクライアントと仕事をさせてもらい、感謝しています。「森林木十人」のメンバーとは東眼山國家森林遊樂區に「浮森＆脊森」という作品制作を指導しました。建築家として、教師として、どれもジャンルを超えた協力から生まれた作品です。

私たちの仕事とクライアントのニーズには通じるものがあり、こういう関係からは独特の効果をもたらします。こういうのは"美しい発酵"といえるんじゃないでしょうか。

Q. あなたにとって文創とは？

A. 文化というのは、時間と歳月の蓄積から生まれる独自のライフスタイルです。まずは文化が消化されてから、文創産業の一部を形作るというのが、商業化の需要に対する現代人の態度だろうと思います。今の若者や文創産業に携わる人たちが、消費社会や流行に迎合する枠組みから離れてもっと自由に表現できれば、循環経済型の文創を創り出すことができると思うのです。

私も永続、循環という環境問題に対しての使命感を持っています。衰退する林業と木材産業の関係こそ、台湾という土地にとって本当の意味での持続可能な文化だと思いませんか。

Q. 今後の展望について聞かせください。

A. 室内設計の分野では、設計と施工は別々の会社が請け負うのですが、曲墨建築では設計から制作まで手がけています。デザインにもスピードが求められるこの時代に、職人魂をもって仕事にあたる自分たちの姿勢を貫いて、木造建築にブレイクスルーを起こしたいと思っています。

最後にひとつだけ。目標ではありませんが、クライアント、パートナーのYu、学生たち、森林に心からの感謝を伝えたいです。

曲墨建築建築師事務所／Curvink Architects
チュムオジィエンヂュジィエンヂュシーシーウースォ

SNS 🅕 @curvinkarchitects 📷 nkhellobye

3 教鞭を執る淡江大学の建築学科では、毎年有志の四年生たちと国有林で木造の施設を作る。写真は「浮森」という作品。**4** 湾曲させた木材で構築したEMBERS（P016）のバーカウンター。

Grace Wang

グレイス ワン

汪麗琴 ワン リーチン

「未來式」責任者、「好樣」グループ創設者

生活の「美学」で
文化復興を目指す

台湾師範大家政学科卒。好樣グループを創設し、洗練された
ライフスタイルを人々に提案しようとレストラン、書店、セ
レクトショップなど幅広く展開する。20年間携わった好様を
離れた2017年の年末、「未來式」を立ち上げる。運営する
「未來市」では白を基調とした屋台型のブースを碁盤目状に
並べ、アーティストたちが手掛けた商品を展示販売している。

スタイリッシュな白い「屋台」が並ぶ空間
全ては人々に才能を「見てもらう」ため

Q. お店のコンセプトについて教えてください。

A. 「未來市」は生活の中の「美学」を大事にして
います。碁盤目状に屋台を設置していますが、空間
全体は生活感と遊び心で満たされています。私は
20年間、レストランや書店、セレクトショップなど
を展開する「好様」に携わってきました。好様を離
れてから、何か意味のあることはできないかと考え
ていたのです。多くの台湾のデザイナーや工芸家と
接してきましたが、何か彼らのブランドを多くの人
に見てもらえる空間を作れないかと思っていました。
「見てもらう」ということはとても重要なことです。
それによってチャンスが生まれ、さらに発展できる
のですから。

　そこで、120センチ×120センチの屋台型のブー
スをデザインしました。売り場全体は白を基調とし、
上には三角屋根を付け、照明を当てて雰囲気作りを
しました。これによって、デザイナーたちが商品を
持ってすぐに拠点を開けるようにしたのです。

　ここはお客さんに直接販売する場所であると同時
に、バイヤーにアピールするショールームとしての
機能もあります。そして、デザイナーたちの展示の
場でもあると考えています。販売に適さない商品も
あるので、展示という形で芸術家や工芸家を皆さん
に見てもらえればと思います。

Q. 仕事をする中で最も重視していることは何で
すか？

A. 若いころは、「何でも頑張らなくては！」と思
っていました。怖いもの知らずで、何でも完璧にし
なくては気が済まなかった。自分に対しても、他人
に対しても。でも、今は考え方が大きく変わりまし
た。年齢のせいもあると思うけど、自然であること
が一番だと思います。

　昔から私は商売人です。でも、何でも最初はビジ
ネスから入るのではなく、友達を作るつもりで取り
組むようにしています。相手のことを知らなければ、
つながりも生まれません。なのでスタッフたちにも

1

アーティストを勧誘するだけでなく、友達として関係を作るようにと話しています。それでこそ本当の人脈になっていくからだと思うからです。

Q. コラボレーションの経験などはありますか？コラボする相手を選ぶ基準は？

A. 商品のセレクトや運営は「生活の美学で文化復興」をテーマに据えています。これまで民芸、デザイン、ファッション、文創、農業、工芸、芸術、文化、音楽など様々なデザイナーやブランドとコラボし、各領域で最新のブランドを勧誘してきました。

　私はこれまでの経験にのっとってブランドの良さや特色を探すようにしています。私の審美眼が必ずしも正しいとは限らないので、私がブランドの未来を決めることはできません。チャンスを提供するだけです。

　屏東県と提携してイベントを開いたこともあります。1年かけて屏東の農産物をリサーチして現地の食材を使ったお弁当を作ったり、台湾デザイン展では未来市と同じ方法で、屏東の農産物や手作りグッズを販売したりもしました。ブランドでも地方でも、良いものをそれに合った「美学」で見てもらえるようにする、というのが私が取り組んでいることなのです。

文化があるなら創意で生かし産業に
文化があっても産業がなければ発展しない

Q. ライフスタイルについて聞かせてください。

A. 生活に関わる産業に携わっているので、自身も生活の実践者であるべきだと思っています。それでこそ商品が良いものかどうかが分かるからです。未来市には30余りのブランドやポップアップストアがありますが、自ら実際に商品を買い、生活の中で使ってみます。毎日使っているのは「蘑菇」のバッグですし、靴下も「テンモア」。「掌生穀粒」の紅茶も飲みます。これらは少しずつ生活の一部になっていきます。自ら強く営業するようなタイプではないのですが、良いと思ったものは友達に薦めます。

Q. 人生でどんなことやものに影響を受けましたか？

A. 蔦屋書店を手掛けた増田宗昭さんの本。彼は生活の中の体験によって社会を良くしていくという考えを持っています。あとはデザイナーの原研哉さん。「白」という本がありますが、私は白がとても好きで、よく身に付けますし、彼は白の心理的な面や実用的な面についてとても適切なことを書いています。この本を通じて自身と同じ考えを持つ人がいる

1 カルチャースポットとして国内外から多くの人が訪れる華山1914文創園区の一画にある未来市の店舗。

のだと分かりました。

　好きな映画を挙げるとしたら「マディソン郡の橋」。映画を見ることを通じて自身の物事に対する感度を鍛えるようにしています。ストーリーだけでなく、BGMや全体的な美術効果など細かいところまで分析し、自分のデータベースとして蓄積するようにしています。

Q. あなたにとって「文創」とは？

A. 「文創」という言葉は実は12〜13年前、多くの台湾企業が海外へ出てしまい、政府が台湾に残ったもので何かできないかと考え、出てきた言葉なのです。文化創意産業、略して「文創」です。文化があるのなら、創意で生かし産業にする。それには様々な領域とつなげなければなりません。文化があっても、そこに産業がなければ発展はしないのです。

私はその産物が「文創かどうか」ということよりも、「生活のあり方がどうか」というところを重視します。それを生活の中に溶け込ませられるかどうかということの方が重要なのです。

Q. 文創と今の活動の関わりについて聞かせてください。

A. 「文創」といえば必ずクリエイターがいますよね。彼らには見てもらうための場が必要なのです。私はこれまで彼らとコミュニケーションを重ね、友人として接してきました。例えば2009年にオープンさせた書店と一体化させた「好様本事」では開店以来、クリエイターを呼んで仕事やいろんなことについて話してもらうということをやっていました。毎週続けているうちに、これから文創に関わっていきたいという人たちに影響を与えることになり、デ

3 ハンバーガーや飯糰（台湾おにぎり）など、フードコートのように複数のお店が入っているカフェスペース。**4** 日本の商品もセレクトされている。写真は静岡牧之原市「カネ十農園」の茶葉。**5** 切り絵アーティストによるワークショップ。クリエイターと身近に接する機会を設けることで、クリエイターと参加者が互いに学び、文創の発展につながっている。

ザインや工芸に身を投じていく人も出てきました。

Q. 今の台湾についてどう思いますか？

A. 生活に関わる産業に30年余り携わってきましたが、台湾の文化やデザインの発展は、ここ2年で少し勢いが鈍くなったと思います。政府機関が大型のイベントの舵取りをしてきて、その中で才能のある若手も発掘されてきましたが、それではまだ足りないと私は思っています。能力のある民間の企業が手を差し伸べ、クリエイターたちに経済的な支援を行うべきです。アイデアはあるけど資金が足りないというブランドが台湾にはたくさんあります。中には志を持ってアトリエを開いたはいいものの、5〜6年であきらめてしまい気持ちが薄れてしまう人も多く見てきました。これは台湾のとても残念なところだと思います。

台湾をより良くするには、まずは人々の美学に対する素養の向上を図るべきだと思います。それでこそ、クリエイターが作り出したものに対してお金を使ってくれるようになるのです。台湾人が一体となって支援していくべきで、台湾の文創が海外から称賛を集められればそれでいいというだけではありません。

Q. 今後の展望は？

A. 台北駅の近くにある日本統治時代の建物に「国家撮影文化センター」ができるのですが、その1階に入居する予定になっています。そこは「未來光」という名付けました。撮影というテーマにのっとりつつ、一部は図書館にするつもりです。また、今回の新型コロナウイルスの拡大で新しく考えたのですが、他社との距離の確保が常態化することを見据えて布で空間を仕切りたいと思います。未來市のブースも取り入れます。

ただ、素朴な生活への憧れもあって、田舎で暮らしてみたいなと思っています。もう若者の時代になっていて、彼らには彼らの考えがあり、ちゃんと頑張ってほしい。私ができるのは経験や美学などの蓄積の共有だけ。自分にとってはやっぱり忙しすぎず、ちゃんと日々の生活を全うすることこそが一番重要なことだと思っています。

未來市／THE GALA ASIA
ウェイライシー

ADD 台北市中正區八德路一段一號 華山文創園區 中二館
13:00–21:00　無休

TEL +886(2)2395-5178

WEB https://www.thegalaasia.com/

⑥ 作家・張維中氏（左手奥）とデザイナー・呉東龍氏（左手前）による東京の日常と非日常をテーマにしたトークイベント。

Justin Yu

ジャスティン ユゥ

游適任 ヨウ シーレン

「Plan b Inc.」創設者兼キャリアパートナー

面白さを基準に
ソリューションを
導き出す

最初の会社を10代で起業した游適任は、20代で立ち上げた
コンサルティング会社Plan b Inc.において、いち早く「サス
ティナブルな事業展開」を提案。IKEA、富邦集團など国内外
の大企業と次々にパートナーシップを結び、台湾イノベーシ
ョンの寵児として話題を集めた。業界間を軽やかに超えてい
く游適任が新たに手がける事業には常に注目が集まっている。

生活のささいな出来事が共通認識を生み
その自信が文化のアイデンティティを作る

Q. 現在のお仕事について、内容やコンセプトを
教えてください。

A. Plan b（プランビー）はサスティナブルな発
展を提案するコンサルティング会社です。そこの責
任者ですね。世界のさまざまな業界の有名企業や非
営利組織、政府関係のお客様にソリューションを提
案してきました。現在Plan b Inc.の中でも2つの会
社に分かれていて、Plan bはサービス、Plan cはス
ペースの企画提案を行っています。

Q. これまでの経歴を聞かせてください。

A. 僕はすごく運が良くて、19歳の時に最初の、
20歳で2つめの会社を創立し、どちらも売却する
ことができました。ここ数年はさまざまな産業の新
興企業に投資をして、新しい団体をもっと支持した
いと考えています。2010年にPlan b Inc.を立ち上
げ、近年は飲食サービス業に投資しています。なか
でもDraft Landの成長は著しいですね。けっこう
後になって気づいたんですが、僕は違うジャンルに
足を踏み入れるのが好きだし、どの分野も何かしら
つながっているもの。だから手元にあるものを効果

1 空間デザインを手がけた松山文創園區内にある ParkUpSYC 松菸口。**2** 持続可能な開発目標（SDGs）をテーマに企画した
「SDGsNewSexy」

的に組み合わせれば、社会や生活の多様な問題を解決することができるんです。

ここ数年はコンサルタント、プロジェクトの企画、キュレーション、共同オフィスの運営など、かなりたくさんの組織と協力してきましたが、パートナーシップを組んだ後は、基本的にもともとの価値を拡大することができるんです。たとえば、我々は長年にわたって、富邦グループが企画している臺北文創記憶中心（Taipei New Horizon Creative Center）や、空き地を利用した「ParkUp」のプロジェクトなどを手伝っていますが、これなどまさに好例なのではないでしょうか。

Q. 仕事をするうえでのマイルールは？

A. 「面白くないことはやらない」。仕事をする上ではさまざまな問題を解決することが重要なわけですが、解決策が面白くないと、決まってうまくいかないものなんです。だからやらないことにしています。

Q. プライベートの時間は何をしていますか？

A. 読書、音楽、映画、運転。会社の責任者にははっきりした公私の区別がありません。僕は1日に6～8回会議を開かなければならないし、夜や週末は接待やイベント、講演などがあります。だから最初に挙げた趣味をすることで、仕事の時間に区切りをつけています。

Q. 影響を受けた人物は？

A. やはり実業家だった父親ですね。今は半分引退していますが、記憶の中の父はすごく忙しかったはずなのに、プロ意識も高く、毎日運動を欠かさず、たばこもお酒もやらず、母をとても大切にして、今でもよくデートに出かけているんですから驚きます。自分も実業家となった今、それがどんなにすごいことか改めてわかりました。

Q. あなたにとって文創とは？

A. 「生活のささいな出来事を積み重ねた文化的行動が、社会的価値を生み出すこと」だと考えています。我々は海外にいる時に、個人の食事の習慣、ファッション、生活スタイルから、自分たちと違う部分を見つけますよね。ここ数年はいろいろなジャ

ンルが交流して、より多くの産業がこういう価値を持ったと思います。タピオカミルクティーに始まり、朝ごはん屋、コンビニドリンク、ゲームや公園、公共交通機関、どこにでも台湾ならではの文創を見つけることができますよね。

サスティナブルな発展には、人と環境、人と人、人と時間の関係も含まれます。「時間」という重要な要素が加わると、文創も違った角度から見え始めます。生活のささいな出来事が人々の間に共通認識と自信を生み、それが文化のアイデンティティを生むのです。

Q. 今後の展望について聞かせてください。

A. 住生活産業が次のプランです。自宅をキャリアとして、さまざまなライフスタイルのサービスや企画を提案します。住宅のニーズは時代によって違ってくる。住生活産業は「ソリューションとクリエイティブな提案」が求められる仕事となっていくでしょう。

Plan b Inc.

ADD 台北市中山區玉門街1號（CIT）

WEB www.theplanb.cc

❸ 2016年の「台北文創記憶中心」では台湾文化の特徴とも言える繁体字をテーマに企画・キュレーションを務めた。❹ 新北市の持続可能な開発目標についてまとめた2019年「新北市永續發展報告書」。

馬鶴誠
マー フェアチォン

「伏流物件／ the undercurrent object」責任者

モノを通して伝える
思考、情緒、時代

文創とは、クリエイター本人が
世界をどう見ているかということ

Q. 現在のお仕事について、内容やコンセプトを教えてください。

A. いま現在やっていることは、作品の展示、デザイナーのためのオーダーメイド受付、コラボレーションしているブランドの商品販売、そして室内設計の4つです。伏流物件は僕ひとりでやっているので、複数の仕事を同時進行することができません。だからいつもプロジェクトを一つひとつ手掛けていきます。こうした事情から、伏流物件が何を扱っているのか、ちょっとわかりにくいかもしれませんね。あえて説明するなら、「物件（モノ）を作ることを通じて、言葉にならない感情や情緒、また私たちが属する時代の様子を伝える」ことがテーマだと思っています。

Q. 仕事をする上でのマイルールは？

A. 「樂趣（楽しみ、面白み）」ですね。僕が言っているのは快楽的な楽しさだけでなく、悲しみや怒り、孤独も表現したいと思っています。たとえば椅子の命題は「座れる」ということです。それならば路傍の石だって椅子であり、壊れて「座れない」椅子は椅子ではないということになります。椅子かそうでないか、このグレーゾーンにこそ「樂趣」が介入することのできるスペースであり、見る人が体験や共鳴を感じるところだと思うんです。

Q. これまでの経験や職歴で、現在の仕事に役立

「伏流物件」は台南の路地にある一軒の静かなお店。オブジェのような美しい雑貨に囲まれた空間は、ギャラリーのようでもあり、オーナーのアトリエのようでもある。台中出身、台北で経済学を学んだ馬鶴誠がオープンしたこのスペースでは、ひとつのプロダクトに触れることで世界が広がる、豊かな瞬間を味わうことができる。

1

1 ふらっとは立ち寄れない台南の路地裏奥深くにあるカフェ「鬼咖啡」の内装を手がけた。

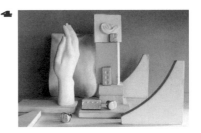

っていることはありますか？

A. 大学の時に勉強した経済学に、大きな影響を受けていると思いますね。経済学というと、数字ばかり出てくると思っている人が多いのですが、数字は理論を実生活に応用するためのものです。経済学で「交換」「比較利益」を学んだことで、僕自身の社会での立場や、どうやって世界の役に立つかということが理解できたと思います。

Q. 影響を受けた人物や、本または映画など

A. 仕事をしている時よく思い出すのが、「美術手帖」の奈良美智さんの特集号で読んだ手紙です。奈良さんが草間彌生さんに手紙を書いた、その返事の最後に『寂しくなったら、私を思ってください』とあって、その言葉は私の力になっています。家族や友達がいるのとは関係なく、創作というのは時に孤独で寂しいものです。でも同じ気持ちでいる人が存在すると思うと、その心が癒されます。

Q. あなたにとって文創とは？

A. 文創というのは、グローバリゼーションとローカリゼーションの問題だと考えています。どの作品も二面性があって、オリジナルの文化を表現したものだけが文創ではないし、逆に言えばグローバルな文脈の作品も文創から除外するべきではないと思います。つまり私の中での文創は、最終的にクリエイター本人が世界をどう見ているかということ。文化というのは非常に個人的な経験であり、流動的なものだということです。

たとえば僕自身は日本の映画や小説、漫画の影響を多分に受けています。同時に1950〜1980年代の欧米の家具や建築も好きですし、周りには世界各地に留学経験のある友達がたくさんいます。ですから僕は一般的に認められている台湾文化ではなく、自分や個人の文化を解釈する傾向があります。台湾というこの土地で、いまある環境で受けた文化体験から、もっと大きなグループで共有したり共感できる作品を作りたいんです。

Q. 今後の展望について聞かせてください。

A. 2020年は伏流物件を始めて5年目の節目になります。5年というのは、次の新しい旅への出発点になるでしょう。新しい試みにもチャレンジするでしょうし、作品も多様化すると思いますが、核としてはこれからも、「伏流物件はどう考えるか」という提案をしつづけたいと思っています。もちろんもう少し具体的なプランもあるのですが、詳しく説明しないでおきましょう。「樂趣」のために。

伏流物件／ the undercurrent object
フーリュウウージェン

SNS **f** @udncrt
o undercurrentobject

2 アンティークショップdelicate antiqueとのコラボ展「話語的形狀」でのからくり作品のひとつ。 **3** フードフォトで有名なSomefood & Something Elseのフォトスタジオの空間デザインも伏流物件の手によるもの。 **4** 企画展「在那之前，我們都是碎片。」で制作した陶製のアクセサリー。

江文淵
ジャン ウェンユェン

「半畝塘」創業者、建築家

人と自然が
共存できる
環境に優しい建築

1997年に建築事務所からスタートし、土地や環境に優しい建築集団として、1998年に半畝塘を創業。自然建材や伝統工法を使い、自然との共生を目指した建築作品は数々の賞を受賞している。代表作に都市型住居の「若山」、伝統家屋「樸山村」など。「若山Ⅱ」は国際的なデザイン賞・iF DESIGN AWARD 2019でも受賞している。

自然を都市に採り入れ、人を自然に還す
建築で目指す安全で優しい環境作り

Q. 現在のお仕事について、内容やコンセプトを教えてください。

A. 半畝塘は土地や環境に優しい建築集団です。1997年に建築事務所からスタートして20年余り、わたしたちは自然と共存することの重要性を理解してきました。人の生活は自然との共存の上に成り立つものです。人と環境を中心に考えることで、この理念の実現を目指しています。

　私たちは東洋の思想を受け継ぎながら台湾の土地に根差し、建築業に関わるすべての人たちとともに安全で優しい環境を作っていきたいと考えています。私たちの代表作である都市型住居の「若山」、台湾当代の伝統家屋「樸山村」はともに「自然を都市に採り入れ、人を自然に還す」ことを提唱した現代住居です。

Q. 仕事をするうえで重視していることは？

A. 誠心誠意です。初心が本物でなければ長続きせず、考えが浅ければ方向を見失います。ですから仕事を始める前にはいつも誠心誠意考えているかを自問します。

　「創造的な仕事をする過程で、人を取り除いたら何が残るだろうか？」。二十年ほど前、半畝塘がまだ小さな事務所だったころに思ったことです。その後、人と環境を中心に考えることを出発点として、私たちの事業は発展していきました。その結果、新たな

1

1 台湾高速鉄道の新竹駅近くに建つ都市型住居の「若山」。垂直に緑化され。ヒートアイランドの影響を緩和するだけでなく、生態系の維持の機能も果たしている。

建築美を発見することに成功し、そればかりか建築物の中の生活、その周囲の自然、さらには時の流れにまで気を配ることができるようになったのです。建築人は、建築が土地や環境、人と関係ある事業であることをよく知る必要があります。

Q. 他のブランドとコラボレーションしたことはありますか？

A. 建築はとても長い過程を経て完成するもので

す。その間、ひとつの会社の力には限界があります。同じ志と価値を持った会社と良好な関係で提携することはとても重要です。

「若山」を例に取ると、泥壁を作るのに「土角厝」という台湾の伝統工法を使っていますが、これができる職人とコラボして現地で直接作業してもらいました。また、屋外の床はカキの殻を加工して作りました。このように一つの建築の中にたくさんの職人

2 「土角厝」という台湾の伝統工法で職人によって作られた泥壁。こうして土地の記憶を継承し、古代の工法が保持される。
3 設計の前に土地調査をし、地域の気候、生態、植栽、景観、文化的特徴を知ることで調和された建築を生み出す。

たちの技が詰まっています。また、台湾の自然建材や伝統工法を使用することで、こうした文化を日常の中に再現しています。

建築のほかでは、台湾の伝統文化を積極的に取り入れています。お茶や食器なども上質なものを厳選し、台湾文化にふれることができるように考えました。

Q. 普段はどんなライフスタイルを送られていますか？

A. 朝起きてまず写経。これによって一日を平静に過ごすことができます。ほかには食事したりお茶を飲んだり、時には旅行へ行きます。読書や執筆の時間は多いです。これらの事柄はすべて仕事と関係しています。

現代社会は出勤時間とそれ以外といった具合に、時間によって生活が制限を受けます。しかし生命の時間という視点から見た場合、こういった線は実際には存在しません。生命の時間の中ではすべてのことが関連し合っています。こう考えることでさらに全体がはっきり見えてくる。わたしはそんな哲学を持っています。

文化はその土地の上で生まれ、育むものだからこそ土地に根付いた建築を作る

Q. あなたにとって「文創」とは？

A. 文化は土地によって生まれます。人がある土地に長く住み、時間をかけて育むものです。言い換えれば生活の中の記憶の累積が文化を創るのです。それには長い時間が必要です。何代にもわたって受け継がれていくのです。

このように文化を創造する原則は伝承の上にあります。だから文化は時代の要求に耳を傾け、その土地に合わせて創造されるべきだと思っています。この原則を無視して無理やり何かを創り出そうとすれば、利己的なものが出来上がり、文化とは程遠いものになってしまいます。文化を語ろうと思ったら、伝承や脈絡といった要素は欠かせません。それがな

4 台中市郊外にある「樸山村」。人がその土地に長く住み、時間をかけることで文化は育まれていく。**5** 樸山村の夜景。自然と共存しながら環境改善をすることで、蛍が戻ってきた。

いと短絡的で厚みのないものになってしまいます。近年、海外の強い商品が国内の弱い商品を淘汰する現象が起きています。これは文化的とはいえません。私はグローバルを悪いとは思いません。ただ、グローバルは必ずその土地の文化や地域の特色と結びついていなければなりません。

「文創」を理解しようと思ったら、まず文化を理解することから始める必要があります。文化事業は常に遠くを見つめていなければならないのです。

Q. 「文創」と、現在の仕事との関係について教えてください。

A. 建築は時代や地域を最も反映した文化です。機会があれば台湾の田舎町に足を運んでみてください。古い建築を見ると、かつての人々がどのように土地とふれあい、どのような建築の知恵を生み出して来たかがよくわかります。

人は異なる環境の下でさまざまな建築を設計し、異なる文化を生み出してきました。だから文化事業を語るときは、必ずその土地からスタートしなければなりません。庭園に離れを作り屋外で飲食もできる「樸山村」も、都市の中で垂直に緑化を設計した「若山」もその土地の古い知恵を伝承しています。

台湾は現代になって工業化が進んだあと、人々は自然を離れ、土地の文化を重視しなくなりました。しかし半畝塘は土を養うことからはじめます。土は最後に人を養います。だから私たちはその土地に根付いた建築を作ります。これによって生活文化が発展し、最後は生命を養うことになるからです。

環境が人を養えるかどうかはとても重要です。養うというのは生命の証明です。長い時間をかけて、人は自然に還って生活し、文化を育んでいきます。半畝塘の建築はこれを目標としています。

Q. 今後のビジョンを聞かせてください。

A. 半畝塘の、これまでの20年は生態技術の熟練や理念の明確化を行ってきましたが、今後の20年は人と自然の共存を根付かせ、自然に還った建築物を作っていくことを目標とします。都会の空間がより密集していく中で、私たちは小さくても精神的な満足が得られる空間を作り、人と自然が共存できる環境の社会を作っていきたいと考えています。

半畝塘
バンムータン

ADD 台中市西屯區協和南巷5號
TEL +886(4)2350-5182
WEB https://www.banmu.com/

5 若山の近くに建てられた半畝院子は1階はカフェ、2階がレストラン、3階は展示や会議室といった使い方のできる多目的スペースとなっている。

葉士豪

イェ シーハオ

「光屋工藝」創設者

手作り自転車を
台湾ならではの文化に

台湾芸術大学出身の葉士豪は、クラシカルな自転車の魅力に惹かれ、自転車製造の職人に師事。2008年に自転車ブランド「Sense30」を立ち上げた。芸術的な手作り自転車は話題となりビッグネームとのコラボを次々と実現させた。現在は緑豊かな北投のアトリエで新たに「光屋工藝」を立ち上げ、自転車の作り方を教える仕事にも情熱を注いでいる。

自然の中で自分の自転車を作る
工場の概念を打ち破るアトリエに

Q. 現在のお仕事について、内容やコンセプトを教えてください。

A. 光屋工藝は教育と振興のプラットフォームなんです。自転車ブランド「Sense30」を立ち上げて10数年、自分の手で溶接する自転車づくりに情熱を注いできましたが、こうした工芸技術は少しずつ衰退しているし、いまの台湾にはその技術を学ぶ窓口が何もありません。だから、職人技を伝え、教えていくための場所を作りたかったんです。自転車に限らず、さまざまな工芸の職人を招いて講座を開いたり、プロモーション活動をしています。

Q. これまでの経歴は？

A. 美大在学中にイラストレーターの仕事をしていました。その経験から、アートと自転車を融合させようと思いSense30を作りました。そこから自転車作りの技術を伝えたいと思い、光屋工藝を立ち上げました。僕のやりたいこと、やってきたことはすべて密接につながっていると思います。

Q. 仕事をするうえでのマイルールは？

A. ひとつは、オーダーメイドの自転車を作るに

1

2

1 Sense30では自転車だけでなく、セレクトされたアパレルや雑貨も取り扱う。**2** NBAのスター選手、ケビン・デュラントのために制作したモデル。禅をモチーフにシルバーアクセサリーブランドや革製品ブランドともコラボして仕上げた。

あたり、お客さんのニーズに答えた、満足してもらえる商品を作ること。もうひとつは、自転車づくりを教える場面では、生徒にできるだけ実際に自転車を操作し、失敗を恐れずチャレンジしながら、自然に知識を蓄えてもらえるようにしています。学生自身が自力で自転車を完成させるのが理想ですね。その過程でいろいろな挫折をすることで、理解が深まっていくと思うからです。

Q. これまでどんなブランドとコラボレーションしてきましたか？

A. リーバイスが自転車に乗る人にフォーカスしたLevi's® Commuterというシリーズが発売された時に、コラボ企画としてSense30から同じ名前のハンドメイド自転車を限定100台提供しました。またNBAのケビン・デュラントがウォリアーズに所属していた時に、「NIKE RISE ACADEMY」というアジアツアーで台湾に来たことがあり、NIKEからの依頼を受けてデュラントのために自転車を制作しました。一か月前から依頼を受けていたので、禅を表す雲や海の紋をあしらった東洋らしいデザインを考えたんです。この特別仕様の自転車を仕上げるために、台湾のシルバーアクセサリーブランドabnormal sidesとHEYOU Art&Craft Departmentという革製品のブランドに協力してもらいました。

コラボレーションをするにあたっては、面白いかどうか、誠意があるかどうか、そこに挑戦とやりがいがあるかどうかを大切にしていますね。

Q. あなたにとって文創とは？

A. 僕にとっては都市の魅力であり、都市の様子そのものだと思います。文創とは文化の萌芽であり、それに関わる人たちは都市の外観を作っているのだ

と思います。僕がやっていることもつまり文創で、どうやって自転車を作るのかということを広めたいし、ハンドメイドの自転車を台湾ならではの文化に育てたいと思っています。工場の現状を見てください。コスト面で負けてしまうからといって、いまでは技術まで中国にとって代わられようとしています。手作りの自転車を継承することや、そのストーリーは、いまの自転車市場では重視されていません。生産者でありたい、自転車を供給したいと望むばかりで、「なぜ自転車が好きなのか」という初心を忘れてしまっていると思うんです。

光屋工藝はSense30とは別にはじめたプロジェクトですが、これはひとつの実験なんです。北投の山の中に古い廃墟を借りて、一年をかけてリフォームし、アトリエを作りました。職人技を伝えるプラットフォームとなって、技術を教えたり、共有したりする場所にしたいと思いました。同時に「工場」というものへのイメージを壊したいと思ったんです。自然に囲まれて自分の自転車を作るというのは、これまでの工場のイメージとはまったく違います。台湾には自転車づくりだけでなく、多くの職人技を持つ先生たちがいるので、このアトリエでその技を伝えていってほしいですね。

光屋工藝 & Light House
グァンウーゴンイー

ADD 台北市北投區奇岩路259巷6號
SNS 🅕 https://www.facebook.com/
110393063841068/

❸ 自転車作りの指導にあたる葉さん。こうして職人技が継承されていく。❹ 光屋工藝は台北市北部・北投にある自然豊かな環境にある。

趙文豪

ヂャオ ウェンハオ

「茶籽堂」創設者、社長

台湾本来の
美しさを信じ、
呼び起こす

「苦茶油」は、伝統的な健康油として台湾で古くから使われてきた。品質のよい苦茶油を栽培しながら、その種子である「茶籽」から環境と人にやさしい洗剤を製造し、広めてきたのが「茶籽堂」だ。台湾産の原料にこだわり、印象的なパッケージで苦茶油の新しい市場を作った二代目・趙文豪は、文創産業の草分け的存在といえるだろう。

台湾産100％の苦茶油文化を再発見
文創と茶籽堂は互いに呼応しあう関係

Q. 現在のお仕事について、内容やコンセプトを教えてください。

A. 台湾産の最高品質の苦茶油と、苦茶油で作ったクリーニング製品、ケア製品を扱っています。台湾の苦茶油文化が活気を取り戻せるよう日々仕事に取り組んでいます。

　ブランドの核となるコンセプトを表す言葉は、「讓美好發生（美しいを生み出そう）」。僕たち茶籽堂は台湾に3つの農場を共有していて、契約農家とともに、環境にやさしい方法で油茶を植樹しています。苦茶籽を中心として、台湾の土地、人文、芸術が一体となった苦茶油の新しい価値を開拓したいと考えているんです。その価値観が台湾の善良な人たちに受け継がれ、いつまでも続いていってほしいと願っています。

Q. 仕事をするうえでのマイルールは？

A. まずやってみるということ、座右の銘はずっと「信じてこそ実現できる」です。最初から無理だという思いを抱いてしまっては、いろいろなことが不可能になってしまいます。だから仕事をするときは、まず試して、計画し、しっかり調査・観察することがすごく重要。僕にしてみれば、みんなが不可能だと思う時にこそ、大きなチャンスなんです。その道を行く人は少ないか、または誰も歩いたことがないんですから。

1

1 油茶の実を収穫する趙さん。油茶の種子を精製したものが苦茶油となる。

2

Q. 他のブランドとコラボレーションするときには何を重視していますか？

A. 平凡な中に美しさを見出し、かつ美しさを呼び起こすことができる、ということでしょう。それを３つのポイントから考えて決断します。ひとつはコラボレーションの背後に明確なコンテキストがあるかどうか。２つめは互いのブランドが情熱をもって台湾を愛しており、コンセプトが合致しているかどうか。３つめはコラボする相手のブランドにもしっかりと利益があり、協力して成功への努力ができるかどうか、という点です。

具体的にはここ数年にわたって金馬奨（中華圏の映画作品、関係者を表彰する映画賞）とコラボレーションしたギフトセットを販売していますし、台湾内にある200軒以上のホテルに客室用アメニティを届けています。また茶籽堂の製品以外では、台湾各地の農場を訪れて歩いている時に出会った宜蘭の朝陽社区で生産しているお米を取り扱っています。どのケースも分野は違いますが、お互いのブランドにいい相乗効果が生まれていると思います。

3

1

Q. プライベートのライフスタイルについて

A. 家庭と仕事を大切にしています。公私が一体となっていることについては、単純に長所や短所を分けられるものではありませんし、仕事と私生活どちらの中からも、生命の存在意義を学習し、体験しています。

Q. あなたにとって文創とは？

A. 僕にとっては文化の復興です。自らが暮らすその土地ならではの文化について美しさを発見し、新しい時代のアイディアでより多くの人にその魅力を再発見してもらうということです。文創と茶籽堂は互いに呼応しあう関係だといえます。僕たちは常に台湾の文化を大切にしてきましたから。

茶籽堂のやっていることは３つのステップに要約できると思います。まずある場所でその美しさを発掘する。次に美しいイメージを加える（クリエイティブなアイディア）。最後に美しさを呼び起こす（実践）。これこそがまさにブランドがずっと取り組んできたプロセスです。

Q. 最後に今後の展望を聞かせてください。

A. 将来的には茶籽堂が、その土地の美しいイメージを引き出すイニシエーターとなれるよう願っています。さらにグローバルな思考と戦略で、台湾というこの土地を世界へ発信していきたいと思います。

茶籽堂 永康街概念店
チャズータン ヨンカンジェガイニェンデェン

ADD 台北市大安區永康街 11-1 號１樓
10:30–22:00　無休

TEL +886(2)2395-5877

WEB https://shop.chatzutang.com/

2 苦茶油を使用したさまざまなヘアケア製品。**3** 春池玻璃（P022）のガラス容器を使用した最高品質の苦茶油。**1** 永康街にある茶籽堂のフラッグシップ店。

Moe

モエ

小林百絵 こばやし もえ

「DAYLILY」創業者＆CEO

Eri

エリ

王怡婷 ワン イーティン

「DAYLILY」創業者＆CCO

台湾漢方で整える "気持ちいい"暮らし

北海道出身のMoe（左）と台北出身のEri（右）は、ともに慶應義塾大学大学院メディアデザイン研究科で学んだ級友。いったんは2人とも大手広告代理店に就職したが、実家が漢方薬局だというEriのバックグラウンドを軸に、台湾漢方をわかりやすくオシャレに商品化したブランドDAYLILYを設立。アジア女性ならではの、美と健康の新しい習慣を提案している。

アジアの女性に漢方を広めて
体温も気分も上げていきたい

Q. 現在のお仕事について、内容やコンセプトを教えてください。

A.「DAYLILYは台湾発の漢方のライフスタイルブランドです。台湾では生活の一部である『漢方』というライフスタイルを、より多くのアジアの女性たちに広めたい、女性たちの体温も気分も上げていきたいと思い2人ではじめました。漢方薬剤師監修の薬膳茶や、漢方シロップ、高麗人参や当帰のフェイスパックのほか、ライフスタイル雑貨も販売しています。生理、出産、更年期など女性の一生に寄り添えるブランドになりたいと思っています」（Moeさん）

Q. これまでの経歴を聞かせてください。

A.「大学でコンセプトデザインを、大学院でデザイン思考とブランディングを学びました。卒業後大手広告代理店に入社して、新規事業のお手伝いをする部署にいました。大企業の中での0→1と、ベンチャーの0→1とでは全く別物だと思っているので、その経験が生きているかどうかと聞かれると？ですが、大きな組織に入ってみて、やっぱり自分の好きなものをつくりたいと思えたので貴重な経験だったと思っています」（Moeさん）

「大学ではクラシック音楽を学び、日本に留学してメディアデザインを学びました。大きな転身に見えると思いますが、実際には応用できる経験がたくさんあるんです。音楽を学んでいる時は、毎日練習するのが日課で、それが習慣となっていました。私にとって日課は苦痛ではなく、自分を強くするため

1 松山空港からもほど近いDAYLILY本店。明るく綺麗な店舗で、日本人には敷居が高く感じられる漢方を身近に取り入れられる。

4

の栄養分なんです。日本に留学して、大手広告代理店に入社してからは、日本人の仕事のやり方や広告宣伝の手法を学びました。この経験は今も非常に役立っています」（Eriさん）

Q. 仕事をするうえでのマイルールは？

A. 「『気持ちいいかどうか』を基準にしています。人との関係性に関しても、お互いにとって気持ちいいかどうかで考えるようになりました」（Moeさん）

「DAYLILYは人が作るブランドです。製薬工場や処方箋を作る薬剤師はもちろん、デザイナー、印刷工業、ショップの店員さんたち（私たちはSistersと呼んでいます）、お客様、すべてがDAYLILYにとってかけがえのない存在で、彼らの相互作用でブランドが出来上がるのを見てきました。だからこうした人たちと積極的にコミュニケーションをはかり、人間関係を健全な状態に保つことが大切だと考えています」（Eriさん）

Q. あなたたちにとって文創とは？

A. 「日本や台湾のお家芸（得意とすること）だと感じています。時間の蓄積から価値を見出し、汲み上げ、磨きをかける。そして新たな文化をつくろうとするAttitude（姿勢）自体が文創。歴史あるもの、長く続いてきたものには必ず価値と理由があり、漢

方もその一つだと思います。その価値に再び磨きをかけ、新たに魅力的なスタイルをつくるDAYLILYという漢方のスタイル。それは『文創』だと思います」（Moeさん）

「文創に携わるには大きな覚悟が必要だと思います。根っこに決意があれば、文化を自分の手でさらに良く発展させられるからです。

DAYLILYが扱う漢方は昔から伝わる価値ある文化です。私は漢方薬局を営む両親から漢方について学びました。それを若い人や海外の人にわかりやすい方法で伝えるということが、台湾漢方を私なりに解釈するということだと思っています」（Eriさん）

Q. 今後の展望について教えてください。

A. 「コロナウイルスの影響で今後、『おでかけ』は特別な行為になっていくと思う。だからDAYLILYの実店舗は、特別な体験ができる場でなくてはいけないし、おうちにいてもいつでも養生でき、寄り添える存在でありたい。そのために、お店の体験をより深掘ったり、生理やPMS、産後養生などに特化したサブスクリプションサービスを提供したいと思っています」（Moeさん）

「インターネットサイトのエクスペリエンスデザインを強化したいですね。外出できないときにオンラインショッピングをするのは、楽しいですからね」（Eriさん）

DAYLILY

ADD 台北市松山區民生東路五段165-1號一樓
月〜金：11:00−21:00　土：11:00−18:00　日祝休

TEL +886(2)2761-5066

WEB https://daylily.com.tw

2 ナツメ、龍眼、黒豆をブレンドした食べて綺麗になるお茶「My Favorite Things」。**3** オリジナルの濃縮酸梅湯。台湾では疲れたときや脂っこいものといっしょに飲むポピュラーな飲み物。**4** COREDO室町テラスの誠品生活内に常設されているDAYLILY誠品生活日本橋店。

Van

ヴァン

陳易鶴 チェン イーフェァ

「好氏研究室」創意総監督

キュレーションで
ブランドの新たな
魅力を導き出す

好氏研究室創意総監督。好氏研究室では顧客のニーズに合わせ、市場を分析した上でデザインや美学的視点からブランディングを行う。視覚デザインや空間デザイン、陳列まで幅広く手掛け、顧客の市場での差別化を図り、競合と一線を画すブランドに導く。その一方で講師としてクラスも開設し、そのノウハウを系統的、理論的に伝授している。

1 ブランドディレクションを手掛ける「鶴氏」の漢方茶。

デザインで新たな体験をもたらしたい
1回しかないチャンスだから全力で

Q. お店のコンセプトについて教えてください。

A. 好氏は顧客に市場の差別化を図ってもらうための役割を担っています。視覚、空間、雰囲気をデザインする上でキュレーションの概念を活用し、それによって文化をより奥深いものにし、消費者により深く感じ取ってもらえるものにするのです。形に対する美意識では、新たなタイプのデザインにトライすること。これが私たちの仕事における中心的な思想です。

これ以外では、自らブランドを立ち上げ、市場で実験してみるということもしています。これまで北京でセレクトショップを開いたり、台北で複合的なカフェ空間を経営したりしてみました。一昨年、これらの店を閉め、現在は私たちが手掛ける漢方ブランド「鶴氏漢方」の生活ブランドの準備を進めています。

Q. 仕事をする中で最も重視していることは何ですか？

A. 台湾では今、デザインが非常に盛んで、良いデザインはあちこちで見られます。そんな中で自分が仕事で比較的重視しているのは革新です。もう1つの身分は講師なのですが、生徒のために様々なタイプのブランドの差別化を図るための判断を迫られます。なので、依頼を受けたブランド全てに新たな感覚をもたらすことができるかどうか、これが最も気にかけていることです。

台湾には流行に追随する人が一定数いるというのが事実で、あるスタイルが流行ればそれに合うブラ

1

ンドが登場するというところがあります。でもデザイナーとして、人に新たな感覚や新たな体験を与えるということ、これこそがマイルールであり、仕事に対するこだわりでもあります。

Q. これまでの経歴について教えてください。

A. デパートで管理職を10年ほど経験しました。なので、商品のディスプレイの基礎をこの時代に学び、現在の商業空間のデザインにも応用しています。商品の機能やスタイルの雰囲気をつかむのは得意なので、10年間の経験には本当に感謝しています。

Q. コラボレーションの経験などはありますか？コラボする相手を選ぶ基準は？

A. デザイン会社は通常、同類のブランドを手掛け続けるのがいいと考えていると思います。その方が専門的な感じがするしやりやすい。顧客からの依頼を受けやすいとも思われがちです。ですが、好氏は協業の相手を選ぶ際、業種の重複を避けるようにしていて、一度仕事を受けた業種からはもう受けることはありません。少し極端なようにも思える制限で自身のデザインへの新鮮さと敏感さを保つようにしているのです。1回しかないチャンスだからこそ、思い切り差別化を図ろうとします。こうして私たちの地位を確立させ、別の業種の知名度のある職人と

協業する。そうやってブランドとしての効果を高めていくのです。

京都 a day in khaki という民宿があるんですが、オープンして間もなく、国際的に注目を集めました。私たちが初めて手掛けた海外のケースでもあります。初めてだったので、装飾の細かい部分や材質の温度、空間との融合、あとはそれらが視覚的に伝える印象との関係などにより深い注意を向けました。京都にある他の民宿と比べて、a day in khakiはよりオーナーのセンスが感じられる空間になっていて、チェーン店のようなデザイン感はないと思います。もうすぐ2軒目が京都御苑付近に完成するので、ぜひ楽しみにしていてください。

文創を経済を回す言い訳にしないために
時間をかけて文化と歴史を作り上げる

Q. ライフスタイルについてですが、趣味はありますか？

A. 娯楽の部分では、個人としてはほとんどないですね。あえて挙げるとするなら、早起きしてのランニング、読書、あとは観察です。毎朝5時に起きてランニングに行くんですが、走っている間にデザ

2 2019年11月29日から12月8日に松山文創園區で開催のイベント・原創基地節に出展した「鶴氏」のブース。

3

インがひらめいたりします。頭が空っぽになる過程でアイデアが浮かんでくるんです。1つの画面が浮かんできて、それで企画ができあがることもよくあります。

読書は、自身が美意識やブランディング、観察を教える立場の者でもあるので、大量の読書を通じてその内容をかみ砕くことで自分の観点を調整し、生徒に伝えるというようにしています。

そして観察は、仕事の関係で海外に渡ることが多いので、毎回違う都市を訪れる度に観察するのが好きなんです。商業デザインでも生活でも、街行く人の服装でも、多くの想像と活力を与えてくれます。そして、デザインを手掛けるときの手助けになるのです。

Q. 人生でどんなことやものに影響を受けましたか？

A. 授業の準備のために装飾について勉強したことがあるのですが、その中で外国の美学に関する様々な思想に触れ、非常に興味深いと感じました。ドイツのバウハウス、日本のわびさび、フランスの

ロココ、タイの伝統神話、アメリカのポップアート……これらの国の現代の姿を見ても、商業形態から服装、空間、装飾スタイルまで、文化の脈絡が非常にはっきりと見て取れるわけです。歴史に手がかりを見つけるというのは非常に面白いですし、授業の準備のために学んだことは、自身の美意識の糧にもなっています。

Q. あなたにとって「文創」とは？

A. 文創というのは、広くはビジネスの中で、文化と創意を深めることを指すと思います。ただ、文化というのは生活の蓄積であり、創意もまた地域によって異なる美意識が存在します。にもかかわらず、台湾ではこれについて深く考えられる前に、「文創」が市場経済の言い訳になってしまった。そして、まるで万能薬かのように、何でも「文創」というタグを付ければ高く売れるようになってしまった。なので、文創の消費者はブランドに対する忠誠度がものすごく低いんです。深みというのは時間をかけて熟考して初めてできるものであり、そういった製品やデザイン、ブランドにこそ美の形というのは沈殿していくと思うのです。それで初めて、消費者の信頼や忠誠を勝ち取れるのではないでしょうか。

Q. 文創と今の活動の関わりについて聞かせてください。

A. スピリットサイエンスについて勉強しているんですが、情報があふれた複雑な環境の中で簡単に分析できる論理を使い、少し違った生活にトライし、デザインに落とし込むということをしています。細かく観察すると、市場のあらゆるデザインというのはその足跡をたどることができるんです。空間、映像、製品、レストラン、服装、家具、音楽など全部

3 2019年5月31日、一夜限りの実験的な展覧会「混種研究 FUSION RESEARCH」を企画。**4** 初の海外案件「京都a day in khaki」の内装。**5** 中山駅近くの和牛焼肉専門店「HATSU」。およそ焼肉店とは思えない洗練されたデザインの店内。

です。まずは美意識におけるステレオタイプを外すということをルールにして、自分だけの美意識に沿った論理でやってみる。この業界で長いことやっていますが、この方法はいまだに新鮮さを感じさせてくれます。物事に対する自分だけの見方を確立することで、自分だけの美意識ができていくのです。

Q. 今の台湾についてどう思いますか？

A. 台湾は今、デザインを重視する時代を迎えていると思います。とても喜ばしいことです。ただ過去から参考にできるような生活の美学やビジュアルの美意識、空間の語彙、装飾のスタイルは悲しくなるほど少ない。なので、私たちの世代は海外に出て学び、吸収し、自分たちの環境やスタイルを創造していかなければならないのです。

　台湾は土地に対するアイデンティティーの問題を抱えてきました。この土地で生活しながら、ルーツを見いだせないでいる人が多くいたのです。四季の生活や服装には台湾のスタイル、個性というものがない。レトロな建築も現代的なシンプルなビルに取って代わられていく。文化より開発を優先するのです。多くの人は歴史にアイデンティティーを見出せなくなっているので、もしかしたら私たちの文化創意の発掘や営みを通じて、そういう人たちに台湾を

もっと愛する理由を見つけてもらえるかもしれません。そうすれば、新たな世代の手で台湾の歴史を作っていけるのです。

Q. 今後の展望は？

A. ブランドの企画というところでは、ブレイクスルーを果たす台湾ブランドをもっとたくさん生み出したいですね。空間デザインでは、伝統的な枠を抜け出し、自分だけの美意識、スタイルをもっと確立させたいです。授業では、美意識とスピリットサイエンスを融合させた教育で、面白いブランドを輩出したいです。また、インスタレーションアートでは、個人の大きめの展示もやってみたい。自分たちのブランド「鶴氏漢方」の海外展開も進めて、台湾式のオリエンタルスタイルをもっと広げたいです。最後になりますが、2020年秋に自身の美意識に関する本を出版する予定です。

ODD INSTITUTE ／好氏研究室
ハオシーイェンジゥシー

ADD 台北市士林區福榮街49號
　　　月〜金：10:00–19:00　土日休

TEL +886(2)2835-6179

WEB https://oddinstitute.tw

6 2018年、松山文創園區で開催された「好家在台湾 - GOOD HOME TAIWAN -」に出展した。

黃禹銘

ファン ユーミン

「伊日生活」総経理

様々な生活用品で
文化を日々の
暮らしの中に

2001年に伊日生活を創業。コスメ商品の販売からスタートし、書店、レストラン、寝具、生活用品、お茶など、台湾人の生活の質を高め、文化を暮らしに取り入れてもらうために事業を多元化。ギャラリーを開き、セミナーやアートイベントを主催するなど、文化、芸術の担い手たちへの支援にも力を入れている。

生活の質を高めてもらうために
事業を多元化していく

Q. 現在のお仕事について、内容やコンセプトを教えてください。

A. 伊日生活は2001年の創業です。コスメ商品の販売からスタートして、10年後に書店とレストランをオープン、事業の多元化が始まります。このときの理念は「ちゃんと食べて、読書をして、よく寝て、いい生活をする」。これに合わせて寝具の代理販売をスタート、さらに無添加料理のレストランをオープン。続いて芸術産業の分野にも参入、ギャラリーを開いたりセミナーを行ったりしています。このほかグリーンデザインをテーマにした生活アイテムも販売しています。

Q. 仕事をするうえで重視していることは？

A. よくないことはやらない。意義の感じられないことはやらない。みんながやっていることはやらない。これが私たちの重視することです。

2010年に始めた「日光大道廚房」は添加物の入っ

1 伊日生活の原点、アロマセラピーをベースとしたトータルケア用品を販売するCOSMESCENTSの店舗。**2** 伊日好物台中店では日々の暮らしの質を上げる選りすぐりの生活用品を取り扱う。

た料理を出さないレストランです。当時はみんな食に対する概念がありませんでした。「伊日芸術計画」も同じような考えからスタートしました。学校を卒業しても芸術で身を立てることができない。そんな芸術家たちをサポートする企画です。

Q. 他のブランドとコラボレーションしたことはありますか?

A. 自然農法の農家や個人経営のデザート店とコラボしたことがあります。コラボするとき、私がもっともこだわるのは理念が一致しているかどうかです。性別、物の種類にこだわりはありません。そんな相手とは平等の精神でコラボします。

Q. 普段はどんなライフスタイルを送られていますか?

A. 毎朝8時に家を出て、市場で買い物してから会社へ行きます。会社には晩の10時ごろまでいるので、生活のほとんどを仕事が占めています。時間があるときは植物の世話をします。私は植物が大好きで、彼らとは家族のように接しています。

Q. 過去に影響を受けた人物や物事は?

A. ひとつはアイスクリームの「Ben&Jerry」です。二人のヒッピーが始めたブランドですが、アイスクリームで素晴らしい未来を創ろうという思いが感じられます。彼らは早くからフェアトレードの概念を実践しているし、仕入れ業者が武器やたばこ産業に接触するとすぐに取引を中止しています。もうひとつは「パタゴニア」です。「社員をサーフィンに行かせよう〜パタゴニア経営のすべて」という本を読んで素晴らしいと思いました。

Q. あなたにとって「文創」とは?

A. よく「文創」といわれますが、私は文化産業というほうが好きです。どうやって文化を生活の中に採り入れるか、そういう考えを支持したいです。

Q. 「文創」と、現在の仕事との関係について教えてください。

A. 手がけている「一日茶事」というブランドでは若い世代のお茶に対する認識を変えようとしています。お茶は古くから台湾人の生活習慣と密接な関係があります。そこには人の交流もあります。私たちが売るのは商品ではなく、文化だと思っています。

Q. 最近の台湾をどう見ていますか?

A. 私は海外への出張が多いです。外国ではよくMIT（メイド・イン・台湾）がいわれますが、私はDIT（デザイン・イン・台湾）を目指しています。

以前、老後は外国を数か月単位で転々として生活したいと思っていましたが、今は国内の田舎でそれをやりたいです。「自分に近い場所、それが最高のグローバル」。そんな気分です。

Q. 今後のビジョンを聞かせてください。

A. 数年前からやりたかったことがあります。その計画を「一日旅人」と名付けました。内容は台湾の各地に民宿をオープン。場所の選定は数字と関連させます。たとえば「2」なら「雙（双）溪」（新北市にある山に囲まれた田舎町）とか。そして、そこで宿泊のお客様には伊日生活の生活用品を使ってもらいます。

伊日生活
イーリーシォンフォ

ADD 台北市南港區八德路四段768巷1弄18號4樓之一
TEL +886(2)2653-7791
WEB https://yiri.com.tw/

3 民家をリノベーションしたブックカフェ「伊日書屋」。お茶を飲みながら落ち着いて店内の本を読むことができる。**4** 伊日美學生活基金會が主催するアートイベント、Free Art Fair 台北藝術自由日。企業として芸術振興にも力を入れている。

Gina Hsu

ジーナ・シュー

徐景亭 シュ ジンティン

「東海醫院／ DHH studio」デザインキュレーター

アートを介し
文化の翻訳者で
ありつづけたい

アートスタジオや企業でのプロダクトデザイン、そしてオランダ留学を経てデザイナー・キュレーターとして活躍するGinaは、自身の創作活動と展覧会の企画のほか、都市再生計画や次世代の育成にも力を注いでいる。その根底にあるのは「自身が感動した事物を、アートを通して人に伝えたい」という思いなのだ。

台湾の日常や歴史に散らばる物語を
デザインを用いて表現していく

Q. ブランドのコンセプトを教えてください。

A. 私の仕事は主に「販売」「デザイン」「教育」です。「販売」では東海醫院ブランド商品の販売、「デザイン」はプロダクトデザインのほか、キュレーター業、「教育」は大学での講義、小・中・高校でのワークショップなどです。

ブランドのコンセプトは「物語の語り部」です。地域の物語、人生の物語、台湾の物語……それらを調査し、独自の見解を得てデザインで表現します。教育においては「一人一人に個性がある。努力して自分の才能を見つけ出し、その才能に向き合い鍛錬を積むことで、本物の力になる」と考えています。

Q. 仕事に対してマイルールはありますか？

A. まず基本の条件は「面白い仕事であること」。そして、チームの一人一人が特技を発揮し、自由と自主権、理性的なコミュニケーションをもって互いの成長を応援し合うことが重要です。デザインでは最初の調査がポイントですが、概念をデザインへと発展させるには明確なロジックが必要です。そして同時にロマンティックな思考と創造性を有してはじめて、堅実な表現ができると思います。

Q. 過去の仕事経験が役に立ったことは？

A. 以前はアートスタジオで働いていました。今の私にロマンティックな部分があるとしたら、この経験から得たものでしょう。後に地域の新聞で編集も担当しました。仕事でおのずと人や土地との関連性を持たせるのは、新聞の仕事のおかげかもしれません。そしてオランダ留学時にキュレーターを務め

1

1 秘密基地のようなスタジオ。ここから新たなアイディアが生まれる。

た際、台湾でのプロダクトデザインの経験が調査研究と企画書の作成に影響したと感じています。

Q. 同時代もしくは同世代で気になる台湾ブランドはありますか？

A. 職人技と斬新なデザインの革製品ブランド「Greenroom」、書店とギャラリーの複合空間「朋丁」、都市計画の中でも協調政策に長けた「周育如」、高品質なミニマル・デザインの家具「Esaila」などです。

Q. Ginaさん自身の生活スタイルは？

A. プライベートでは、家で家族と過ごすことが多いです。山の方に住んでいるので、家族で山の上まで歩いたり伝統的な市場に行くこともあります。もしくは何かの展覧会に出かける街をブラブラしていますね。

また家での娘との他愛ないおしゃべりを大切にしています。特殊な案件でない限り仕事は早く終わらせるようにして、余暇を娘と過ごすようにしています。

Q. Ginaさんに強い影響を与えた人物や作品はありますか？

A. まず映画『ファイト・クラブ』です。人は捨て身になってこそ生きていけるものだと思います。

村上春樹・著『走ることについて語るときに僕の語ること』にも影響を受けました。人生と仕事は一筋の長い道のようなものですが、私達はこの終わりが見えない道をどう歩むべきなのでしょうか。それは、一歩一歩進み、ひとつひとつの関門に正面から臨むことなのかもしれません。

Q. あなたにとって「文創」とは？

A. 仕事では、まずそれが素晴らしい作品になる

ことを信じ、人と協力し交流をしながら作品を作り上げる過程を楽しんでいます。「文創」を別の言葉で表現するなら、自分を感動させた事物を誠実かつ丁寧に人に伝えることだと思います。

Q. 文創とあなたの仕事との関係は？

A. まず「文化」ですが、「文化とは知識、新興、芸術、法律、道徳、風習など人が社会の一員として獲得してきた能力や習慣による複合体」と定義することができます。さらに文化は器物などの「物質文化」、「制度文化」、観念に代表される「精神文化」も含みます。文化とは社会的な価値やシステムを総合したものだと言えるでしょう。

私が強く魅かれるのは、創造力を上述の「文化」と結び付けて、作品や展覧会という実体あるものに作り上げていくという点です。私の仕事は、デザインを用いて文化を翻訳することだと思っています。

Q. 昨今の台湾について思うことはありますか？

A. 台湾はとても自由です。法に触れさえしなければ何でもできるはずです。台湾はもっと多くの想像力のある人を必要としています。固定概念にとらわれる必要はないのです。

Q. 今後のビジョンを聞かせてください。

A. まず個人として創作を続けていくつもりです。そして商品開発や、異なる形の展覧会も企画したいです。次世代の教育も同様に力を注いでいきます。

東海醫院／ DHH studio
ドンハイイーユェン

ADD 三重市中正北路193巷35弄41號

TEL +886(2)2984-5745

WEB http://www.dhhstudio.com/DHHs.html

2 花蓮の大理石を使用した大人的積木（大人のための積み木）。自由に配置して、毎回変わる表情を楽しむ。**3** 2019年の臺灣文化博覽會では台湾が誇る文化、茶をテーマにした展示を企画、運営した。

Ocean

オーシャン

梁 浩軒 リャン ハオシェン

「INCEPTION ／啟藝」創業者

作品を
「共通言語」として
今の世代の言葉を
伝えていく

2012年にOceanが創業した「INCEPTION ／啟藝」は、国内外で様々な展覧会の企画・運営＝キュレーションをする会社だ。商業性と文化は相反するものと論じられがちだが、Oceanはそう考えない。健全な産業こそが文化を未来に伝えていくと信じ、展覧会の演出に新しい風を吹き込んでいるのだ。

キュレーターがテーマと一体感を得てこそ
人を魅きつける展覧会になる

Q. ブランドのコンセプトを教えてください。

A. INCEPTIONは創立以来デザイン、芸術、科学、ポップカルチャーなどの分野で100以上の展覧会を企画・運営してきました。多くの国外のアーティストや美術館ともコラボしています。私達は作品を通し、世界へ向けて「今の世代が話したいこと」を発信しています。

Q. 仕事に対してマイルールはありますか？

A. 展覧会の成功の鍵はチームです。どの展覧会もチームによる組織、ルール作成、秩序ある運営があって初めて成功します。分業体制をとり、異なる分野の人と協力し、そして互いの仕事を尊重する、これができれば自然と素晴らしいチームが完成するはずです。

Q. コラボ先を決めるのにルールはありますか？

A. 私達の展覧会は大きく2種類に分けられます。1つはINCEPTION主催のものです。主催展のテーマは私の幼い頃からの経験に関係することが多く、たとえば「#DINOLAB 恐龍實驗室」は、幼少期の記憶や科学博物館に通った経験から着想したものです。また「玩具解剖展」は私の趣味から来ています。小さい頃にオモチャを買ってもらえなかった気持ちを慰めているのかもしれません。

2つ目は依頼による展覧会です。依頼を受ける基準は2つあります。1つは「公益性」で慈善団体とコ

1

1 総統府の常設展として企画された「府―Power to the People」。世界の中の台湾がさまざまなクリエイターたちによって表現されている。

ラボをしています。2つ目は「時代が共感するもの」で五月天展、台湾プロ野球展、Panasonic展などが挙げられます。

　そしてどんな展覧会でも全てに共通して言えるのは、来場者の強い共感、感動を得るためには私自身がそのテーマと一体感を持つ必要があるということです。

Q. Ocean さん自身の生活スタイルは？

A. 仕事とプライベートを分けるのは難しいですね。最近では伝統的な家具に興味を持っていますが、家具のディティールを見ていると、頭の中に空間のコンセプトが湧き上がってくるようです。何でもキュレーター・マインドにつながっていきます。

Q. Oceanさんに強い影響を与えた人物や作品はありますか？

A. 2つの映画の影響が大きいと思います。1つは会社の名前の由来にもなったアメリカ映画『インセプション』（2010年公開のクリストファー・ノーラン監督によるSFアクション映画）です。展覧会は映画と似ていて、そこにどんな世界観が存在しようと、期間が終われば全て片づけられます。しかしその内容は来場者の心の栄養となり、形を変えて世界に存在し続けるのです。

　もう1つは、レオン・ダイ（戴立忍）監督の『あなたなしでは生きていけない（不能没有你）』です。この映画によって私は「大切なはずなのに、忘れ去られていくもの」について考えるようになりました。映画は、2003年に実際に起きた父親と幼い娘の無理心中事件を題材にしています。事件当時は大きく報じられませんでしたが、映画の公開によって注目され、社会に波紋を広げました。この映画は私に「話

語権（意見を聞いてもらう権利）の重要性」を気づかせてくれたと言えます。

Q. あなたにとって「文創」とは？

A. 「文創＝文化創意産業」、文創も産業であるからには商業性を備えているはずです。私は商業を文化の敵だとは思っていません。商業や産業には文化に過去、現在、未来をひもづける力があります。真の「文創」とは文化を未来に伝えていくためのものだと考えます。健全な産業こそが文化を悠久の存在にしているのです。

Q. 文創とあなたの仕事との関係は？

A. その答えは、もちろん「展覧」です。ビートルズ展ではデザイン要素を組み入れて斬新な展示方式を演出しました。「#DINOLAB 恐龍實驗室」では、展示にテクノロジーやステージ要素を入れることで新たな物語と世界観を演出し、来場者に新しい体験を提供しています。

Q. 今後のビジョンを聞かせてください。

A. 私がこの仕事を始めたときと違い、今はインターネットの発展により、誰もがキュレーターになれる時代です。しかもその仕事は場所を選ばず、バーチャル空間でも成立します。今後、私は「キュレーター」という仕事をより健全で完全なものにし、ひとつの職業として確立されるよう努めたいと思っています。

INCEPTION ／ 啟藝
チーイー

ADD 台北市松山區富錦街493號1樓
TEL +886(2)2756-3636
WEB https://www.inception-ltd.com/

2 2016年から4年にわたり恐竜の魅力をあらゆる方向から紹介した「#DINOLAB 恐龍實驗室」。**3** 2018年に華山文創園區で開催された「Panasonic 創業100週年紀念展」。

[DESIGN] 台湾デザイン研究院

台灣設計研究院／Taiwan Design Research Institute

「デザインの引き算」で
デザインの価値を伝えたい

台湾を語る上で欠かせないデザインの力。そのデザイン力を主導し、サポートしているのが
台湾デザイン研究院。現院長の張基義氏に台湾デザインの歴史と未来について語っていただいた。

Q. 台湾デザイン研究院や台湾のデザインの背景などについて教えてください。

A. 台湾デザイン研究院は、1979年に設立された中華民國対外貿易協会デザインプロモーションセンターが前身であり、2004年に「台湾創意設計中心（台湾デザインセンター）」として独立、2020年に今の名称と組織になっています。台湾においてデザインのターニングポイントは2011年の台湾設計年（台湾デザインイヤー）です。当時、台湾では世界的なデザインのイベントが多く開催されていました。

張基義　チャン ジーイー
台湾デザイン研究院院長

台東出身。ハーバード大学デザイン大学院、オハイオ州立大学大学院卒業。これまでに台東県副県知事などを歴任して、現在、台湾設計研究院院長および台湾交通大学建築研究所の教授を務めている。建築研究の視点から公共プロジェクトにデザインの概念を導入している。著書に「當代建築觀念美學」「歐洲魅力新建築」「看見北美當代建築」などがある。

デザイナーやクリエイティブな仕事をしている以外の人々も「デザイン」に触れるきっかけになりました。2016年に台北が「世界デザイン首都（World Design Capital）」を選定されたのも、これらのイベントの成功があったからです。そして、2020年、台湾の経済部は「台湾デザイン研究院」を、文化部は「Taiwan Creative Content Agency（TAICCA）」を中心に国内外に台湾のデザインなどを発信しています。

　毎年ひとつの都市を選んで開催される「台灣設計展（Taiwan Design Expo）」。2019年は台湾の最南端「屏東」を舞台に「超級南／Super South」というテーマで実施しました。スーパーマーケットのイメージを取り入れ、ショッピングカートに乗って会場を回れるようなジェットコースターをつくりました。それらは台湾伝統民芸である布袋劇（人形劇の一種）の職人と作るなどデザインと伝統の交流も促しています。また、屏東で採れた農産品のみでつくった「好屏弁当」は大好評でした。台灣設計展は、単なるデザインの見本市ではありません。デザインはその地域以外の人々がその地域を体験しやすくするための大切なツールのひとつです。他にも「台灣文博会（Creative Expo Taiwan）」があります。初期の台湾文博会は物産展が中心でしたが、2019年のテーマは「Culture On the Move―文化動動」。台湾で最も優秀でクリエイティブな芸術家が集結し、パフォーマンスアートやビジュアルアート、デザインなどを発信しています。そして「金點設計獎

1, 2 2019年台湾の最南端・屏東で開催された台湾デザイン展「超級南―超級南方非常台湾」

（Golden Pin Design Award）」や「新一代設計展（Young Designers' Exhibition）」も忘れてはいけません。新一代設計展は次回が40回目。毎年1万人以上の学生が参加して、次世代のデザインを表現しています。

Q. 院長の経歴について教えてください。

A. 私は米国ハーバード大学で建築を学んでいたため、国際的な建築家になることが夢でした。実際、ニューヨークで働いていたときは多くの国際的なプロジェクトを手掛けていました。台湾に戻ってきてからはその夢はきっぱりあきらめて教育の道に進みました。当時の台湾はOEM産業が盛んで「速い、安い、安全」が合言葉でしたので、私が海外で学んだデザインの価値を一般の人にも理解してもらうには教育が大切だと思ったからです。台湾のデザインおいて大切なことのひとつが「デザインの引き算」です。台湾は自然環境がとても良いので、人口的なものはとても目立ってしまいます。いかに自然と調和できるようにデザインを引き算していくか、いつも頭を悩ましています。

Q. 院長はいつも黒色の服装ですが、なぜですか？

A. デザインには基準となる答えがなく、また、アーティストのように自由に創作できるわけではありません。限られた条件の中でさまざまな可能性や価値観を生み出すには、ライフスタイルをシンプルにする必要があります。私は常々「黒にもいろいろな黒がある」と話しています。色の種類ではなく、質感や密度など、その他の条件から選択する方が、より深く細かいコーディネートができると思います。あと、「Why Do Architects Wear Black?（建築家はなぜ黒を着るのか？）」という本もあります。世界100人の建築家にインタビューをしたもので、理由はそれぞれ違いますが、なぜかみんな黒を着ているんです！

多様性や柔軟性、包容力、スピードのある台湾デザインから独自のものを生み出す

Q. 院長から見た台湾のデザインの特徴やスタイルは？

A. 台湾のデザインには、多様性や柔軟性、包容力、スピードがあります。なんだかぼんやりしているように聞こえるかもしれませんが、これこそが台湾なんです。反面、台湾には長期的や継続性、繊細さなどがありません。これらをしっかりと受け入れて、台湾ならではのユニークなものを生み出す必要があります。日本や欧米の国々と比べても、台湾は新しいものを受け入れやすく、業界や職種の壁を越えてコラボレーションするのが得意です。みなさんは、台湾のデザインをどんなスタイルだと考えますか？ 台湾は自然環境は美しいのですが、人工物は一過性で寄せ集めのものが多く混沌としているものも多いです。そのような中では、私は「引き算」という最もシンプルな方法を使います。いらないものを捨てて、きちんと整理する。そうすれば、すぐに多くの人に理解してもらえるはずです。

Q. 院長が注目しているデザインは？

A. 春池玻璃（Spring Pool Glass）は、デザインの専門企業ではないのですが、台湾の伝統的なガラスリサイクル産業とデザインの融合によって注目されています。小智研開（Miniwiz）なども建築が専門ですが、リサイクル分野で数々のデザインの賞を受賞しています。製造とリサイクルの問題をデザインで結び付けることも今後の台湾では大きなトレンドとなるでしょう。また、台湾の未来に必要なのは文化とデザイン、そしてテクノロジーです。特に、テクノロジーは台湾の強みではありますが、文化やデザインとの結びつきが乏しいです。将来的には、台湾の文化やデザインがテクノロジーと組み合わさり、私たちのライフスタイルを一変させるようなものを生み出してくれることを期待しています。

台湾デザイン研究院

ADD　台北市信義區光復南路133號
TEL　+886(2)2745-8199
WEB　https://www.tdri.org.tw/
SNS　 @TWTDRI

3, 4 デザインの力で生まれ変わった小学校。雲林山峰華德福國小（上）。花蓮明禮國小（下）。**5, 6** 2020年1月に運行が始まった、台北と花蓮を結ぶ長距離バス・北花線。台湾デザイン研究院が推薦したデザイン会社により、引き算によるデザインがなされている。

邱承漢

チゥ チォンハン

「叁捌地方生活」ディレクター

故郷から文化発信し、昔ながらの生活を残していく

1980年7月5日、高雄市出身。政治大学企業管理大学院修了。故郷の高雄・鹽埕（イェンチョン）に戻り、祖母が営んでいたブライダルショップを改装した民宿を2011年にオープン。出版やガイドなど、地元文化の推進に力を注ぐ。2017年、現在の「叁捌地方生活」に改称。既存の拠点にとどまらないさまざまなプロジェクトを手掛け、地域の活性化を図っている。

高雄の日常生活を未来に残すのが使命
Uターンして地元の文化推進に力を注ぐ

Q. お店のコンセプトについて教えてください。

A. 2011年、故郷の高雄に戻り、祖母が営んでいたブライダルショップを改装し、民宿を中心とした複合的な空間をオープンさせました。それからは、オリジナル雑誌の発行やガイドなど鹽埕の文化を広げる活動に取り組みました。2017年、現在の社名に改め、既存の空間にとどまらずに現場に介入しての地域活性化を図り、街により深く関わるようになりました。これまで携わったものには、伝統市場を活性化させる計画や高雄で最も古い商場でのカフェを兼ねた民宿の経営、鹽埕の日常を記した本の出版などがあります。今は高雄全体まで活動範囲が広がっていて、高雄の日本語の観光サイトの制作や観光マップのデザイン、イベントの企画や展示のキュレーションなどにも関わるようになりました。個人では写真撮影や雑誌での執筆などでも仕事を引き受けていて、今年からは新しい出版物で写真のコラムも担当しています。

Q. 仕事をする中で最も重視していることは何ですか？

A. 直観ですね。一番最初の瞬間に心の中で「うん、これだ！」っていう声が聞こえるかどうか。運命も信じているし、これがここ数年で判断を迫られた時の一番大事な基準になっていると思います。
もう少し言うと実は、この直観の背景には自分にとって意味があるかどうかということだと思うんです。われわれがやっているのは、このコミュニティーの日常生活を残していくということなんですね。高雄

1 祖母のブライダルショップをリノベーションしてオープンした民宿、叁捌旅居。

2

の日本語の観光サイトで言えば、自分の好きな日常の角度から日本の友達に紹介したい高雄を紹介することで、これまでのマーケティング的な観光紹介の枠を破ろうという狙いがあります。自分が日常の中で信じていること、好きなこと、関心を寄せていること、これらを仕事で実践し、推進していく。これが近年のマイルールですね。

Q. これまでの経歴について教えてください。

A. 実は過去の経歴には結構ギャップがあって、銀行で5年間、管理職を務めていたことがあります。金融系と今の文化系の仕事では産業が異なりますが、この経験のおかげで、他の文化畑出身の人より費用対効果なども含めてよりしっかりした枠組みで論理的に思考を組み立てることができると思います。感情や衝動で新しいことを始めてしまいがちなんですが、進める過程では理性的なんです。緻密な計算と対応で目標までの距離をぐんと近付けることができるんだと思います。

Q. コラボレーションの経験などはありますか？コラボする相手を選ぶ基準は？

A. 共通の価値観を持っているかどうかですね。それと、コラボが1＋1以上の効果を生むことができるかどうかも最終的には重要になってくると思い

ます。あとは、そのコラボが面白いかどうかですね。領域をまたいだコラボが比較的多く、高雄ではあまり見られない要素を地域に取り込むということをやってきました。これまでには、台湾発のテキスタイルブランド「印花樂」と昔ながらの狭い路地で市場をやったり、青空市を開く「港都戀惜曲」と地元の酒どころを巡るガイドツアーを開いたり、歌手のリン・チャン（林強）を伝統市場に招いてライブをやってもらうという企画もありました。

Q. 注目している人はいますか？

A. 外国人労働者を支援する「One-Forty」、オーガニックブランド「茶籽堂」、ロックバンド「Sorry Youth（拍謝少年）」ですね。ジャンルが異なる3者ですが、いずれもそれぞれが得意とする方法で、コミュニケーションを図り、自身が好きで関心を寄せ

3

2 レトロ感と現代的な明るさが同居した客室。**3** 地元を盛り上げるため、アーティストの林強さんを招いて、伝統市場でのライブを企画。

るトピックに携わっています。おそらく、自分が彼らと近い考えを持っているから尊敬するし、引き付けられるんでしょうね。

台湾文化を未来に継承するには物事の脈略を捉えた「文創」が必要

Q. ライフスタイルについてですが、趣味はありますか？

A. 仕事と私生活を分けるのは自分にとってはとても難しくて、特に、塩埕にいるとどこに行っても仕事しているような感じになってしまいます。なので、旅によく出ます。台湾各地以外に海外にも行きます。日本へは去年7回も行ったし、南アメリカやインドも訪れました。友達にはせっかく故郷に戻ったのに高雄に全然いないと笑われます。登山も好きです。台湾の山以外に、雪の降る日本の山にも登ります。山で2～3日キャンプして、ぼーっとするのが良いですね。自分の時間をちゃんと持つことで、大事に生活したいと思っているんです。それによって、創作のパワーや考えがどんどん湧くようになって、仕事でもっと面白いことができるようになるんです。

Q. あなたにとって「文創」とは？

A. 「文創」というのは大衆と意思疎通を図るためにイギリスから取り入れられた言葉なんですね。日本から「地方創生」を借りてきたのと同じ要領です。ただ、これが台湾で実際に起きていることかというとそうでもない。私にとって文創の本質は「台湾特有の文化を記録し解釈して、その文化を次の世代のニーズに合うように次の100年、200年まで残せるものにしていく」ことだと考えています。だから文創といっても表面的なものを見るのではなく、背後にある目的と、物事の脈略をきちんと捉えているかというのを考えなくてはなりません。

ただ、台湾には多様な歴史や文化があるので、若い世代はルーツやアイデンティティー探しをしながら、全体的な脈略を探りそれぞれの文化が融合できる理論を模索しているところです。まだその地点には到達できていないけれども、これが近年、文創があちこちで豊かに開花している理由だと思います。

Q. 文創と今の活動の関わりについて聞かせてください。

A. 塩埕は日本統治時代から続く古いコミュニティーです。ただ、80年代に市の中心が別の場所に移ってから急速に衰退しました。でもそれで、大都市の中に残る昔ながらの生活感という特色も生まれました。昔ながらの生活というのは効率とかコストパ

4 ペットといっしょに楽しめる音楽フェス、吹狗螺市集の運営も担当。**5** 長期滞在者向けに2020年オープンした宿泊施設、銀座嶼場。カフェも併設されており、喫茶店の客の流動性と宿泊客の安定性を兼ね備えたコミュニティスペースとなっている。

6

フォーマンスばかりを求めずにゆったりと、時にはちょっとあほらしいとさえ思える方法で日々を過ごします。

　私の仕事は、空間から建築、店、活動に至るまで、この生活を残していくことなんです。なので、老舗で体験イベントをやったり、本を出版したり、アーティストを集めて伝統産業を題材に創作したりしています。その同時に、伝統市場の経営にも携わりながら、新たな時代の中でのポジションを探ったり、古い建物を改装して活性化を図ったりしています。

Q. 今後の展望は？

A. 今年で40歳になるので、同僚たちがこの参捌

というプラットフォームをちゃんと軌道に乗せ、一人一人が活躍できる舞台を持てることを願っています。自分は背後でアイデアを出したり、策略を練るぐらいでいいかな。そしてより多くの創作のパワーを取り戻して、写真を撮ったり、執筆したり、面白いと思える依頼を個人で受けていきたいです。

　あとは、やっぱりちゃんと生活することがより大事ですね。彼女と過ごす時間をもっと作って、山にいる時間をもっと多くとりたいです。できれば山にも作業場を作りたい。今年はスキューバダイビングも学ぶ予定です。

119

7

叁捌地方生活
サンバディファンシオンフォ

ADD 高雄市鹽埕區五福四路226號
WEB http://3080s.com/jp
SNS @3080s

銀座聚場
インズオジュチャン

ADD 高雄市鹽埕區五福四路260巷8號
SNS @TakaoGinza

6 高雄のデジタル産業を発信するイベント、DIGI WAVE。海をテーマにした2019年には、林強さんとインスタレーションとパフォーマンスの共同制作に参加した。**7** 古き良き鹽埕の生活を紹介したガイド本「鹽埕老派生活指南」を出版している。

蔡瑞珊

ツァイ ルェイシャン

「青鳥文化制作」CEO

共鳴させる企画力で
台湾の読書文化を
盛り上げる

台北出身。輔仁大学中国文学科卒業後、テレビ局に入社。営業、制作、司会、版権、劇場、展覧会など、さまざまな業務で培った企画力を活かし青鳥文化制作を創業。華山1914文創園區にある青鳥書店をはじめ、期間限定の書店・和平青鳥書店などそれぞれコンセプトの異なる書店を運営し、本にまつわるイベントも多数開催。出版不況の中、台湾の読書文化を牽引している。

テーマの異なる書店を展開
プロジェクトを通じ本の魅力を伝える

Q. 現在のお仕事について、内容やコンセプトを教えてください。

A. 「本と読書」をテーマとした企画会社で、書店をメインにさまざまな企画を展開しています。イベントがメインの「華山青鳥書店」、歴史と人文がメインの「青鳥居所」と「南国青鳥」、昼間は書店で夜はシアターの「南村青鳥」など異なるコンセプトの拠点を持っています。今後は自然をテーマとした書店、芸術をテーマとした書店と提携する予定で、年末には6店舗で展開することになります。

Q. 仕事をするうえで重視していることは?

A. 企画力です。これによって「どうしても参加したい」と思わせるプロジェクトを作り出します。それぞれのプロジェクトは人文的要素や地元の文化が含まれていることが大切です。

Q. 現在に至るまでの経歴は今の仕事にどう活かされていますか?

A. 学校を卒業したあとテレビ局に入社して、営業、制作、司会、版権、劇場、展覧会など、いろいろな業務を経験しました。これらすべてが現在、書店で本を中心としたイベントを企画する上でたいへん役に立っています。

Q. 他のブランドとコラボレーションしたことはありますか?

A. コラボする相手には、私たちと同じように台

1

1 日本統治時代の酒工場をリノベーションした華山文創園區に店舗を構える青鳥書店。

湾という土地に対するこだわりを持っていること、そしてゼロからスタートして温かみのあるブランドに育てていこうというビジョンを持っていることを期待しています。

　ブランドや業界を越えたコラボに対しては、常にチャレンジしています。例として、南村青鳥は劇場やインディーズ音楽を手がける大清華傳媒、文創商品の経営をメイン業務とする聯合文創公司などとコラボしています。さらに今年新しくオープン予定の自然主題書店もこうしたチャレンジをしてくれることを期待しています。

Q. 同時代で興味を持っている台湾ブランド（人物）とその理由は？

A. 毎年、華山に集まる新しいブランドに注目し

2 青鳥書店ではセレクトされた書籍の販売と、本にまつわる様々なイベントが開催されている。**3** かつての文化と経済の中心地・大稲埕エリアにある伝統的な三進式（中庭を介して三つの建物が連なる様式）の建物をリノベーションして入った青鳥居所。

ています。というのは長い準備期間を経てここに登場したものなので、ブランド力もあると思うからです。私はいつも華山をじっくり回って、彼らの経営方式を観察しています。このほか大稲埕エリアの地元ブランドには今後の発展を期待させてくれる潜在力があって、これらもたいへん興味を引かれます。

Q. 普段はどんなライフスタイルを送られていますか？

A. 趣味は読書と展覧会の見学です。生活の99%を仕事が占めていて（笑）、仕事をしていないときがないといった感じです。それでも意識的に仕事を離れた時間も作っているので、毎日を新鮮な感覚で送ることもできています。

Q. 過去に影響を受けた人物や物事は？

A. 張鐵志ですかね。本という分野にわたしを連れて行ってくれた人です。彼のリストの中の本は私の必読書です。たとえば『聲音與憤怒』、『純真博物館』、『只是孩子』、『百年追求』。いくら読んでも読み終えた感じがしないので、これからも読み続けていきたいです。

書店・イベント・動画配信などあらゆる媒体で本をメインとした文創を発信していく

Q. あなたにとって「文創」とは？

A. 「文創」のベースにあるものは文化だと思います。文化で重要なのは共鳴です。共鳴という感覚は時間の変化とともに、その意義も異なってきます。それでも大衆の心を捉える文化というものはいつの時代もあるはずで、こうしたものこそ本物の「文創」だと思います。

Q. 「文創」と、現在の仕事との関係について教えてください。

A. 読書ということについていえば、台湾は毎年3万冊の本が出版されていますが、青鳥では顧問選書委員が選んだ作品をテーマに毎月オンラインで作家を取材したり、オフラインでイベントを企画したりしています。現在、青鳥は書店経営のほかに、ポッドキャスト番組、オンラインライブ放送、大小さまざまなイベントなど、本をメインとした文化や創造に関する内容をさまざまな媒体で発信しています。

Q. 今後のビジョンを聞かせてください。

A. 今後も特色ある書店をオープンしたり、面白いイベントを企画したり、これらは続けていくつもりです。18坪の小さな書店からスタートした会社がどこまでできるかはわかりませんが、いろいろな方とのコラボを通して、自分たちは水のように、時には主役、時には脇役を演じていきたいと思います。そんな中、唯一私たちがこだわるのは本がその中心にあるということです。

青鳥文化制作
チンニャオウェンファチーズオ

ADD 台北市中正區八德路一段1號玻璃屋2樓
（華山1914文創園區内）
月〜日：10:00–21:00　無休

TEL +886(2)2341-8865

WEB ⓕ @bleubook

▲4 2018年、屏東にオープンした南國青鳥。台湾南部から文化を発信する。▲5 出版業界を中心に業界をクロスオーバーしたイベント・華文朗讀節 WORDWAVE FESTIVAL 2018ではチーフプランナーを務めた。

6

❻ 2019年5月25日に180日の期間限定（その後2020年の旧正月まで延長）でオープンした和平青鳥書店。期間限定というコンセプトには、その時その場限りの本との出会いを大切にして欲しいという思いが込められている。

黄志成

ファン ヂーチォン

「風月襟懐文化事業有限公司」
クリエイティブディレクター

台湾の文化精神に
手で触れられる
「物質的な形」を与える

日台の絆という副題を持つ雑誌『薫風』を発行し、台湾における「知日」のジャンルを開拓した風月襟懐文化事業有限公司。出版のほか建築、広告業も展開する同社でクリエイティブディレクターを務める黄志成は、アートを介して台湾の歴史文化や精神に物質的な形を与えることを目指し、日々研鑽を積んでいる。

業界やジャンルの垣根を越え
美学を追求する芸術文化集団

Q. ブランドのコンセプトを教えてください。

A. 風月襟懐文化事業有限公司では、建築、広告業、マーケティングなど様々な事業を行っています。例を挙げると、洗練されたな空間と文化的な旅の提供を目指したホテル「ONSENSE」の運営、雑誌『薫風』の発行のほか、プロダクトデザインや建設業などです。弊社は、それぞれの分野の壁を越えて美学を追求する芸術文化集団だと言えます。

Q. 仕事に対してマイルールはありますか？

A. 私が仕事で大切にしているのは「働き方」「積極性と熱意」「知識欲と自律的なモチベーションを持つこと」です。マイルールは「責任感を持ち、自己を尊重し、チームを意識すること、そして正直でかつ誠実でいること」ですね。

Q. 過去の仕事経験が役に立ったことは？

A. 過去の経験はいつも役に立っています。（経験から得たことは）社会や時代の変化に応じて改めたり、調整していますね。

Q. コラボ先を決めるのにルールはありますか？

A. コラボ先を決めるルールは「文化に対する共通の価値観や認識を持っているかどうか」そして「未来をけん引し、業界に新しい価値観の風を吹かせるために、心血を注ぎ経済的なコストをかけることができるかどうか」です。コラボの具体例として私達の事業の1つであるアートスタジオ「Crescent space」は旅行産業、建築マーケティング、プロダクトデザイン等と業界を越えたコラボレーションを実施しています。

1

1 日本統治時代の1924年に完成した、100年近くの歴史ある邸宅を黄氏がHataarvo Designに依頼し、リノベーションした「風月之屋」。伝統的な四合院の建物と新しく増築された部分が違和感なく調和している。

Q. 同時代もしくは同世代で気になる台湾ブランドはありますか？

A. やはり誠品書店です。彼らの事業は生活を切り口に、現代における文化への深い追求と生命への意識の啓発にまで及んでいます。誠品書店は新しい業態の開拓者であり、次世代に多大な影響を与えたと思います。

Q. 黄さん自身の生活スタイルは？

A. 普段は読書、思索、芸術文化の研究などをしています。私のプライベートは仕事とを融合していると言えますね。日々、考え、美しいものに触れ、成長し、そして文化の探索をする。そういうわけなので、生活で最も比重が高いことは何かと問われれば、仕事だということになりますね。

Q. 黄さんに強い影響を与えた人物や作品はありますか？

A. 中野孝次・著、李永熾・訳の『清貧思想』です。

Q. あなたにとって「文創」とは？

A. 私にとっての「文創」とは、まず台湾におけ

る日常での悟りや現場での文化探索が、現代アートという媒体を介して、実際に手で触れることができる「物質的な形」があるものへと姿を変えることです。そして、次の段階として人々がアートを介して現れた文化や精神について考え、論じることができるようになることですね。

Q. 文創とあなたの仕事との関係は？

A. 文創は好奇心を刺激し、自発的な研究と仕事への情熱、そして使命感をかきたたせてくれる存在です。

Q. 昨今の台湾について思うことはありますか？

A. 台湾を認識し、理解し、台湾を解体構築する。様々な立場が集まれば衝突もあるかもしれませんが、哲学、社会学、人類学、産業学、生物学……それぞれの分野が台湾の主体性ある文化価値を論じ、多元的な対話をすることで画一的でない多様性ある社会への道が開かれると考えます。

Q. 今後のビジョンを聞かせてください。

A. 台湾の文化研究を行いたいと思います。終わりのない道ですが、続けることで台湾の競争力を上げ、他との差別化を図れるのではないでしょうか。

風月襟懷文化事業有限公司
フォンユェジンファイウェンファシーイェヨウシェンゴンスー

ADD 台北市大安區仁愛路三段125號9樓
WEB https://www.kunputw.com/
SNS ⓕ @KUNPUTW

2「日本を知ることで台湾のルーツを知る」をテーマに創刊された雑誌『薫風』。内容もさることながら、糸で綴じられた製本やビジュアルにもこだわって作られている。**3** かつての鉄道倉庫を利用してワークショップ、展示会のできる場として作られたCrescent space【庫】。

1
2
5

柯亞

ケヤ

「好食光 ／ Keya Jam」創立者、シェフ

ジャムで人々に
幸せと台湾を
感じてもらう

1980年生まれの柯亞が2010年、地元の彰化で「好食光／
Keya Jam（ケヤ ジャム）」を創業。古くからの技術をリスペクトし、それを踏まえた上で現代のテイストに合わせて生まれる手作りジャムは、ジャム文化の可能性を広げている。その品質は高く評価され、イギリスのマーマレードジャム世界大会や日本のジャムの大会でも賞を受賞している。

ジャムの生活化、多元化を目指し
コラボや大会出場など可能性を追求する

Q. 現在のお仕事について、内容やコンセプトを教えてください。

A. 2010年に創業の「好食光／ Keya Jam」は台湾の果物を煮込んで作る手作りジャムや家庭風デザートを製造販売しています。会社の理念は「大地の果物で詩を書く。たっぷり詰まった台湾のおいしさ」。私たちのジャムでたくさんの人が幸せを感じ、台湾を感じ、生活の素晴らしさを感じてくれることを願っています。

Q. 仕事をするうえで重視していることは？

A. 目標設定をきちんとすることが大切だと思います。目標を決めると、そこに行きつくまでの道が決まってきます。もちろん途中にはいろいろな障害がありますが、それをクリアするのもゲームをしているような楽しさを感じます。

　それから「常に修正」を仕事のルールにしています。失敗するたびに自分の立ち位置を確認し、修正していくことが大切だと思います。

Q. 他のブランドとコラボレーションしたことはありますか？

A. 手作りジャムといっても多くの人が想像するのはトーストです。それ以外の用途はないのでしょうか。私たちは「ジャムの生活化、ジャムの多元化」を提唱しながら、その実現が可能な相手とコラボをしています。

1

1「ジャムの生活化、ジャムの多元化」を目指し、イベントにも積極的に出店している。

　　2019年にはウイスキーメーカーのKAVALANと「Jam Pairing」を企画して、ジャムをメインに3種類のウイスキーでジャムカクテルを創りました。2020年下半期にはコーヒーのブランドとコラボ予定です。

Q. 普段はどんなライフスタイルを送られていますか？

A. 生活は仕事と切り離せません。友達もほとんど業界の人です。時々みんなで集まって交流します。ほかには毎週一回大自然の中に出かけて行くようにしています。山に抱かれて、ひとり静かにいろいろなことを考えます。

Q. あなたにとって「文創」とは？

A. 「文創」について理解する前に、私は自分にちゃんと生活しているかという核心的な価値を問います。これが長い月の累積で自分のテイストになっていくからです。

　　「文創」は本質があって、それが内的な価値を作ります。それがないと単なる消耗品にしかなりません。「文創」はここ数年人気ですが、多くの人が中身が浅

すぎるのではないかと心配しています。確かにそういう面もありますが、私の考えでは、創作者は種を播く人です。その種に養分を与える人がいれば必ず芽は出ると信じています。

Q. 「文創」と、現在の仕事との関係について教えてください。

A. ジャムの製造は古くからある技術を使って行われますが、私はその歴史や知恵をたいへんリスペクトしています。それを踏まえた上で、シェフの好み、現代風のテイスト、市場での人気などの要素を加えて私たちのジャムは完成します。これが私たちとお客様の共通言語です。マーケットや展示会、ブランドイベントや期間限定ショップなどを通じてそれを共有できたらいいと思います。

Q. 今後のビジョンを聞かせてください。

A. 「"台湾のジャム・ジャムの味"を出発点に台湾のジャムを世界に広めていくのが私たちの願いです」。これは数年前、私たちのブランド紹介に使った言葉ですが、今、確実に実現の方向に向かっています。2019年、私たちはイギリスのマーマレードジャム世界大会と日本のジャムの大会に参加して、そこで賞を受賞しました。これによって世界の一流ブランドと交流する機会ができ、多くのことを学びました。同時に台湾のジャムは十分世界市場で戦えるという自信を持って台湾へ帰ってきました。そのためにやるべきことはたくさんあります。

好食光／Keya Jam
ハオシーグァン

ADD 彰化縣伸港鄉彰新路七段549號
WEB https://www.keyajam.co/

2 昔ながらの製法をリスペクトしつつ、現代的なテイストを加えて作られるKeya Jamのジャム。**3** 2019年のダルメイン世界マーマレードアワード＆フェスティバルに参加し入賞した。**4** 金柑と砂糖のみで作ったマーマレードはサーモンとも相性抜群。

郭藤安

グォ トンアン

張粉碧

ヂャン フェンビー

「喜樹菜奇仔」責任者

手作り雑貨が象る、時代の面影

国立成功大学の工業デザイン研究所出身、台湾デザイン界で多くの実績を持つ郭藤安は、台南応用科技大学で教鞭を取るかたわら、地元台南の喜樹を盛り上げるプロジェクトを立ち上げた。妻で同じくデザイナー経験を持つ張粉碧とともに始めた「喜樹菜奇仔」は、地域に密着した自然体の運営方法も含めて、新しい地方創生の形として注目を集めている。

文創というのは、必ずしも商業行為を
目的としなくてもいいのではないか

Q. 現在のお仕事について、内容やコンセプトを教えてください。

A. 伝統を守りたい、そして受け継いでいきたいという思いから、喜樹菜奇仔というブランドを立ち上げました。今から100年以上前に、台湾南部に「喜樹」という小さな集落があり、農業や漁業を営んでいました。人々は狭い路地の中の伝統市場で収穫したものや雑貨を売り、野菜を育て、結婚して子供を産んで、という暮らしを受け継いてきたのです。おめでたい行事の時には、紅亀粿というお米を使った赤い亀のお菓子を作り、地元の海岸にあるハイビスカスの葉に載せて飾っていたので、いつしかハイビスカスが「喜慶之樹（お祝いの樹）」となり、「喜樹」という地名の由来になりました。

　社会の変化とともに、ここで暮らす人はほとんどがお年寄りになりました。それで、かつてこの土地が栄えた頃のように復興しようと考えたんです。市

1 店先には魚や野菜など新鮮な食材と見紛う雑貨が並ぶ。**2** ヘチマ型のポーチ。デザインだけでなく、使い勝手も考えられている。

場に並ぶ野菜や魚を象ったバッグやポーチを作って、遠い昔の記憶を今に蘇らせ、地元のクリエイターと協力して製作・販売することで、喜樹という土地の伝統と日常を共有したいと考えたのがこのブランドのスタートです。

Q. ブランドを立ち上げる前はどんなお仕事をしていたのですか？

A. 「若いときはアパレル加工の工場とブライダルドレスの会社にいたことがあります。当時の研修は、製作上の細部や品質にかなりこだわったものでした。ドレスの会社ではレース編みのデザインを担当していて、レースの模様を決定して裁断した後、ドレスの上に飾り付けるという細かい仕事をしていました。いろいろな種類のアパレル小物を製作した経験や訓練は、今の仕事にとっても重要な視点や縫製技術を培ってくれましたね」（張さん）

Q. 仕事をするうえでのマイルールは？

A. 「精巧な工法と質の良さは大前提ですが、モデリングデザインにはじまり、色の組み合わせや商品の造形、製造過程の細部にいたるまで、できる限り完璧を目指すということですね」（張さん）

Q. これまで他業種とのコラボレーションの経験はありますか。コラボをするときに大事にしていることは？

A. 「屏東のチョコレートブランド『福灣巧克力』とコラボして、カカオ豆のショルダーバックを作ったことがあります。5色展開で、台湾産のカカオ豆の美しさを表現しました。また別の機会には『台南市美術館』と協力し、台南の画家・郭柏川が描いた作品の中の魚や果物をモチーフにしたペンケースや財布を製作したことがあります。画家の作品を額縁から取り出し、身近な生活雑貨にしたわけです。コラボレーションするときは、お互いの経営理念を理解し合える企業を選びたいと思いますね。地方創生の理念と、住民にも参加してもらい、地域のペースで少しずつブランドを育てていきたい、という私たちの考えをできる限り詳しく説明しています」（張さん）

Q. あなたたちにとって文創とは？

A. 「地域性というテーマを背景に、考慮や話し合いを経て、ストーリー性のあるモノづくりを生み出すということだと思います。ただ、必ずしも商業行為を目標にする必要はないと思うんです。学習を積み重ね、美的素養を磨くという過程が大事で、文化や生活の中にある素材から、創造性が発展することだってあるからです。経済的利益ばかりを考えて、消費のための文創を生み出してしまうと、花火のように一瞬の輝きで終わってしまい、長続きはしないでしょう。

我々のプロジェクトは過剰に商業化することや、拡大しすぎた文創であることを良しとしません。地域の自分たちで造る創生の理念を大切にして、コミュニティの中でともに学習、創作し、生産する楽しみを共有するのが正道だと考えています。今後も生活体験を重ねながら、文化から導き出される創造的な仕事を進めていきたいですね」（郭さん）

喜樹菜奇仔
シーシュツァイチーズー

ADD 台南市南區喜樹路222巷29弄24號
SNS @Shisumarket

3 2020年の春節に台南市美術館で展示された正月料理を模した作品。**4** 喜樹に暮らす人々によって作られる喜樹菜奇仔の雑貨。

凌宗湧

リン ゾンヨン

「CN Flower ／西恩」創業者、デザイン総監督

フラワーアートで
社会に「美」を届ける

「CN Flower ／西恩」は凌宗湧が1998年、台北に設立したフラワーアートのブランド。その後22年の間に業務内容はフラワーアートだけでなく、ウェディングプラニング、ガーデンデザイン、フラワーアートアカデミー、企画案に対するプラニング、家具ブランドなどにまで拡大して、それぞれの分野で深く台湾に根付いている。

❶ 中山駅近くの誠品生活南西店に入っているCN Frowerの店舗。

材料を現地で調達することで
その土地ならではの美しさを再現する

Q. 現在のお仕事について、内容やコンセプトを教えてください。

A. 「CN Flower ／西恩」は創作チームが「美」を出発点にさまざまな可能性を探りながら発展してきました。その結果、アジアではすでに知名度を高めて、多くのファイブスターホテルや高級ブランドショップからの指定によってフラワーアートやガーデンデザインの仕事を請け負っています。作品の特徴はシンプルな心地よさと優雅な自然のテイスト。これらの要素は個人の生活にも採り入れて、花、空間、人が一体となった「美」の世界を表現しています。創作チームは作品を観賞した人たちがそれぞれの解釈でその「美」を味わいながら、生活の中に感動を見つけてもらうことを期待しています。

Q. 仕事をするうえで重視していることは？

A. 空間の環境とそれが生み出す空気です。たとえばショップの空間にしても、単に対外営業向けの空間というだけでなく、お客様や従業員が毎日花や自然とふれあって快適になれる場所でなければいけないと思っています。私たちはこうした空間を作っていきたいし、さらに生活の中にも「美」を採り入れていく。そんなフラワーアートのブランドになることを目標としています。

Q. 現在に至るまでの経歴は今の仕事にどう活かされていますか？

A. 花の配達員、そしてアシスタントからデザイナーになるまでフラワーアートに関する仕事を20年以上やって来ました。創業はこの業界に入って

❶

12年が過ぎたころです。これまでやって来たすべての仕事が貴重な経験で、どれも今のわたしの養分になっています。

Q. 他のブランドとコラボレーションしたことはありますか？

A. わたしたちはどうしたら台湾の特色を出せるか、さらにはそれをベースに異業種とコラボできるかということを常に考えています。

たとえば端午節には作品にイグサの香りをくわえるなど、台湾文化の特色をアートにくわえるようにしています。また、異業種とも積極的にコラボしています。最近では世界チャンピオンとなった台湾のパン職人、呉寶春氏とフラワーアート＆パンのコラボをしました。異業種とのコラボは自分の想像を超えた刺激を受けることができて、多くのことが学べます。

Q. 同時代もしくは同世代で気になる台湾ブランドはありますか？

A. 台中のホテル「紅點文旅」の経営者・呉宗穎さんです。彼はもともとデザイン畑の出身ということもあって「文創」マーケットも企画しています。このマーケットは異なる業種から多くの人が参加できるプラットフォームです。まさに「文創」の発展を支えるリーダー的な存在だと思います。

Q. 普段はどんなライフスタイルを送られていますか？

A. 生活の中で大切にしているのは仕事と家族です。「趣味は？」と聞かれてすぐに思い浮かぶのは仕事なんですが、それ以外では、最近はキャンプにも興味があります。キャンプは家族とふれあえる時間が長く、いろいろなところで普段とは違った共同生活を体験することができます。

Q. 過去に影響を受けた人物や物事は？

A. 最近、『毎日美日』という本を出版しました。内容は、エルメス、ルイ・ヴィトン、カルチェ、アマンリゾーツ、パーク・ハイアット、Wホテル、アリラといったブランドとコラボした話です。その中に私の仕事に対する考えや努力、それを通して学ん

2 写真のアマンリゾーツのフラワーデザインを始め、エルメス、ルイ・ヴィトン、カルチェ、パーク・ハイアットなど名だたるブランドとのコラボを果たしている。**3** ハスを使って、ラグジュアリーホテル・アリラの空間を彩る凌さん。

だことを書きました。私にもっとも影響を与えているのは現地で材料を調達するという考えです。大地とふれあうことの大切さを学び、土地や植物から得られるインスピレーションによって空間に自然の美しさを再現することを心掛けています。作品の中に投入した空間、生命、自然の持つ情熱や感激、こうした要素を感じていただけたら嬉しいです。

独自の世界観を打ち出し
植物に「美」という付加価値を

Q. あなたにとって「文創」とは？

A. わたしたちは花をはじめとする植物によってブランド経営を行っていますが、植物そのものの商品価値はそれほど高くありません。そこに「美」と

4 台北市政府近くにあるSAMSUNG VISION LABで開催された「Botanic Garden 野花店」では、台湾に自生する植物の美しさを紹介した。

5

いう概念を加えることが大きなポイントです。つまり、独自の世界観を打ち出すのです。これに対して見るものは憧れの感情を抱き、これによって生活空間に潤いを得ようとします。それが商品を購入する動機になります。

Q. 「文創」と、現在の仕事との関係について教えてください。

A. 私の事業は文化産業に属します。さらに読書、公園、伝統的な市場など、さまざまな業種とのコラボによってその分野を拡大することで、社会に「美」を提供しています。その過程においては、これまでとは違った方式によって、台湾の伝統職人に新たな可能性を与えたり文化を創造したりすることで新たな価値を生み出しています。

Q. 最近の台湾をどう見ていますか？

A. 台湾は今、全面的な改革が必要です。すべての人に対して生活美学と教育をさらに普及させ、いろいろな産業の質を大幅に向上させていくべきだと思います。そのためには政府だけでなく一般の人たちもこのことに気を配る必要があります。将来的には社会や土地の安全、生活の潤い、環境の快適さなど、こうした方面での改善に努力して、自然の恵みを享受しながら、多くの魅力的な観光資源を開発していくことが大切だと思います。

Q. 今後のビジョンを聞かせてください。

A. 今行っているフラワーショップ、フラワーアート、自然の山林企画などのほかに、ホテルをはじめとする宿泊施設や生活用品ブランドなどともいっしょに空間や生活の中で「美」の表現を追求していきたいです。

CNFlower／西恩 誠品生活南西店
シーエヌフラワーシーエン
チォンピンシォンフォナンシーデェン

ADD 台北市中山區南京西路14號1樓
　　　 日〜木：11:00-22:00　金土：11:00-22:30　無休

TEL +886(2)8789-3388（内線番号1101）

WEB https://www.cnflower.com.tw/

6

5 ウェディングにもプランニングから携わり、式を作り上げる。**6** 著書『毎日美日』の表紙ジャケットに使われた作品。代表的な作品とエッセイがまとめられており、独学で世界的なフラワーアーティストに昇りつめた凌さんのストーリーや創作のアイディアを知ることができる。

李明峰

リー ミンフォン

「山屋野事」創業者・社長

九份で旅行者に
ハーブの癒しを提供

台湾大学で園芸を学び、以前からハーブや中医学に親しんでいたという李明峰。現代化する台湾で昔ながらの薬草文化が薄れていくなか、もっと気軽にハーブを楽しんでもらいたいと人気の観光地・九份にオープンしたギャラリーカフェを通してハーブや自然の魅力を発信し、旅行者にほっと一息つける癒しの空間を提供している。

日常に残る技術こそが文化
台湾薬草文化が与える癒しを広めていく

Q. ブランドのコンセプトを教えてください。

A. 現在の主な事業は、九份で営業している「野事草店」の経営です。店の内装は九份で有名な金属片を用いた貼り絵「釘絵」のアトリエ風で、店内は自然発酵した植物の甘い香りが満ちています。旅行者に改めて「九份に来た」というリラックスした気持ちになってもらえるよう設計しているのです。店では薬草茶、玉子ケーキ、コンブチャドリンクやコーヒーを提供し、釘絵アーティストのギャラリーも兼ねています。地方の美術館兼カフェに似ていますね。

Q. 仕事に対してマイルールはありますか？

A. まっすぐに目の前にあるものに向き合い、人としての配慮を忘れないことです。

Q. コラボ先を決めるのにルールはありますか？

A. この度、野事草店は「フリップ・フロップ・ホステル（夾脚拖的家）」とコラボレーションしました。今回のコラボではお互いの長所を用いて「食」と「宿」を結びつけることで、九份の旅行者により深い旅行体験の提供を目指しています。そして2つのブランドによる相乗効果にも期待しています。このコラボのなかで私は「人」というものの奥深さを感じました。コラボするにあたり、コラボ先の人についてよく知りたくなったのです。たとえば先方がどんな人なのか、その背景にどんな経験を持った人なのか、生命に対してどんな考え方を持っているのか、なぜこの事業を始めたのか、目下の経営方針はどんなものなのか、そしてどんな価値を作り上げた

1

1 お店自慢の野事雞蛋燒（玉子ケーキ）九份の豊かな自然とともに。地元の自然を楽しむイベント「野事山塾」も定期的に開催している。

いと思っているのか……などですね。

Q. ご自身の生活スタイルは？

A. 父親になって半年になります。店での仕事以外では多くの時間を家で過ごし、妻と一緒に子供の世話をしています。私の中では家庭が中心です。家事の合間には、大自然の中をブラブラとします。たとえば友人と一緒に古道へハイキングに出かけたりですね。また、毎日何とか時間を捻出して読書もしています。特に好きなのは自然に関する本です。好みが偏っていますね。さらに時間があるときは、簡単なものですが料理もします。

Q. 強い影響を受けた出来事はありますか？

A. 2015年の冬、私が台湾中部の山の中で行った「ビジョン・クエスト」です。これはネイティブ・アメリカンの伝統儀式の1つなのですが、私もそれにならって文明生活から離れ4日4晩を荒野で過ごしました。直径3mの範囲内にとどまり、食べ物もないなか、ひたすら大自然と向き合うことで、自己の生命への知覚と認識に変化がもたらされるとされています。簡単に言うと、自分と大地の間に深い連帯感を得て、この神秘に満ちた世界で今まで知らなかったものやパワーを体験できたと思います。

Q. あなたにとって「文創」とは？

A. 私にとって、文創とは生活の中で確かに存在する美術や工芸の技術と記憶であり、人々が追求し繰り広げていく生命の本質なのだと思います。

Q. 文創とあなたの仕事との関係は？

A. 店を始めたきっかけは台湾の薬草文化に関係

があります。現代医学が発展した台湾では、伝統的な薬草文化はどんどん馴染みの薄いものになっています。ですが私自身は、大自然や薬草に興味がありハーブ療法や中医学の世話にもなっていて、そのことから多くの人にもっと気軽にハーブを楽しんでもらいたいと思うようになりました。私は日常に残っている技術こそが文化として残ると考えています。そこで、店にはハーブティーを取り入れました。まずは生活を切り口に、現代人のライフスタイルに合った商品を作りたいですね。

Q. 今後のビジョンを聞かせてください。

A. 今は宿とのコラボを強化して、九份に来た旅行者とつながっていくこと、そして日常生活と薬草文化とのつながりを深めることをメインにやっていきたいと思っています。そして店のメニューを増やし、ハイキングや植物の採集、ハーブのワークショップ、日常で使えるハーブ商品の開発などをしていきたいですね。たとえば薬草を使ったマッサージボールやハーブティー、入浴剤などです。多くの人にハーブが与えてくれる癒しを生活に取り入れてもらえたらと思っています。

野事草店／Wild Herbs
イェシーツァオデェン

ADD 新北市瑞芳區輕便路147號
木〜月：11:00-18:00　火水休

TEL +886(2)2363-6268

SNS f @wildherbs2018

2 天窓から光の差し込む明るい店内には、自然発酵した植物の甘い香りが立ち込める。**3** 飲料の缶などの金属片を釘で打ち付けて描かれる九份で有名な「釘絵」作品が飾られている。

游璨賓

ヨウ ツァンビン

「感傷唱片行」創業者

カセットテープが
つなぐ、音楽の喜び

誠品書店が運営する「誠品音樂」での経験を生かして、カセットテープ専門のショップ「感傷唱片行」をオープン。1976年生まれの游璨賓は、レコードやカセットからCD、そして現在のデジタル配信にいたるまで、音楽メディアの変遷を目の当たりにしてきた世代。カセットにこだわる独自のサービスで海外の愛好家からも注目されている。

カセットテープの音楽で思い出に
「リバース」できるショップ

Q. 現在のお仕事について、内容やコンセプトを教えてください。

A. 台湾唯一のカセットテープ専門店「感傷唱片行」を立ち上げました。店内では新旧合わせて1万本以上のカセットテープを販売しているほか、テーブル席で、コーヒーやスイーツも提供しています。カセットプレーヤーがない人でも、お店でカセットテープを聴くことができるんです。音楽を共有できる空間ですが、カセットテープの「リバース」機能で、昔好きだった曲を聴いたお客様が、過去の自分とつながるようなことがあればいいですね。これが「感傷」という店名の由来ですし、創業の初心でもあります。

Q. これまでの経歴を教えてもらえますか。

A. 誠品書店の「誠品音樂」で13年間働いていました。台湾のレコード盤は1980年代の終わり頃には生産を停止してしまい、専門店はほとんど見かけなくなりました。しかし2007年に誠品音樂が年に一度の「黒膠（レコード盤）文藝復興運動」というのをスタートして、展示会やパフォーマンス、販売を行うようになったんです。それからレコード文化が復活し、街中のレコードショップでも入手できるようになりました。今では誠品の主要商品にもなっています。幸運なことに私は「黒膠文藝復興運動」の企画・運営を7回担当することができたので、この経験が感傷唱片行を経営する際に大いに役立っています。

Q. 仕事をするうえでのマイルールは？

1

1 新旧さまざまなジャンルのカセットテープが整然と並ぶ店内。

2

4

A. 私の店は台中の国立美術館近くの路地にあるので、通りすがりのお客さんはほとんどいません。みなさんわざわざ感傷唱片行を訪れてくれた特別なお客様なんです。このことには本当に感激しています。だからこそ簡単なサービスや応対でもお客様の立場に立って考えるようにしています。お店の印象には主観的な部分と客観的な部分がありますよね。音楽やコーヒー、スイーツの好みなど主観的な印象は一定レベルを保つように最大限の努力をして、サービスなど客観的な部分では必ず満足してもらえるものを提供すべきだと思っています。

あるとき日本からいらっしゃった男性のお客様がコーヒーを注文し、聴きたいアルバムをオーダーしました。音楽は無料です、と言ってすぐにカセットをかけたら、彼はビックリしていました。私にとってはごく自然なサービスで、そんなに驚いてくれるとは思わなかったので、それはすごく嬉しかったですね。

Q. あなたにとって文創とは？

A. 私が誠品音楽に勤めていた当時は、ちょうどデジタルメディアが台頭してきて、紙の本やCD、レコードへ大きな打撃を与えた時代だったので、毎日毎日苦境を突破して生き残るにはどうすればいい

3

のか考えていました。この経験から、私は「文化行銷（カルチャーマーケティング）」の視点から「文創」を考えるのが好きですね。

2、3年前、タイのバンコクを旅行しようとしていて、ホテルの予約サイトですごく美しく品のあるコロニアル風のホテルを見つけたんです。そのホテルは「The Cabochon Hotel」といって、実際に行ってから台湾人の葉裕清さんが設計したものだと知りました。西洋文化が栄えた頃の上海をテーマに、設計師のアンティークコレクションで飾られたとてもストーリー性のあるホテルでした。葉さんがこのホテルを設計した時、きっと彼の頭には「文創」という言葉ではなく、もっと大きなビジョンがあったと思うんです。上海から来た老紳士のライフスタイルを表現するには？ゲストにパーフェクトなストーリーとサービスを体験してもらうには？ということだけが念頭にあったはず。このホテルとの出会いは、私にも学ぶところが多かったです。

Q. 今後の展望について教えてください。

A. 感傷唱片行を立ち上げてから、海外にもたくさんのカセット愛好家がいるということがわかりました。今後はオンライン上でカセット専用のプラットフォームを作って、カセット好きが販売や購入を行ったり、クリエーターが作品を薦めたりといった、交流の場を作っていきたいですね。

感傷唱片行
ガンシャンチャンピェンハン

ADD 台中市西區美村路一段 564 巷 12 號
13:00–21:00 無休

SNS ⏺ being_yu

2 カセットデッキも、当時使っていた世代には懐かしく、若い人には新鮮に映る。**3** カフェカウンターがDJスペースに早変わり。游さんは音楽イベントにも参加し、DJとして曲をつなぐ。**4** 店内にはカフェも併設。BGMのリクエストも可能なので、コーヒーを飲みながら視聴もできる。

陳依秋

チェン イーチゥ

「朋丁」ブランドマネージャー

クリエイターと
ユーザーが集う場に

台北の閑静な住宅街に隠れ家にように存在する「朋丁」。朋丁は独立系書店であると同時にカフェであり、イベントスペースも兼ねた空間だ。ブランドマネージャーを務めるのは陳依秋。雑誌編集者を経て朋丁を創業した彼女は、今日もクリエイターとユーザーをつなぐ空間を「編集」している。

書店、ギャラリー、交流の場を兼ねる
独特な複合空間

Q. ブランドのコンセプトを教えてください。

A. 「朋丁」はアートと書店をメインにし、カフェを併設した複合空間です。不定期ですがイベントも開催しています。朋丁を一言で表すならインスピレーションにあふれた空間ですね。現代アートのアーティストに多元的な場を提供し、朋丁で様々なジャンルのアーティスト同士が交流することで、面白いプロジェクトが生まれることを願っています。

Q. 仕事で大切にしているマイルールは？

A. 私は、目の前にどんな困難が立ちはだかったとしても、常にオープンな心で人や物事と向き合いたいと思っています。そうすることで、いろんな可能性に気づけると思うのです。仕事に対するマイルールは「求めすぎないこと」。でも集中力は必要です。同時に仲間への還元とシェアを怠らず、正当な評価をすることで強いチーム力が生まれると思います。

Q. 過去の仕事経験が役に立ったことは？

A. もちろんあります。以前は雑誌の編集をしていました。友人と一緒に雑誌を作っていたのですが、その経験は私に、世の中には面白いことがたくさんあ

1 書店とカフェが併設された1階スペース。2、3階はイベントスペース、ギャラリーとしてさまざまなアーティストのトークショーや作品展が開催され、クリエイターとユーザーをつなぐプラットフォームになっている。**2** 日本のイラストレーターでプラスチックアクセサリーデザイナーでもあるhelloayachanの展示会「NEWHELLO」。

り、そして多くの才能を持った人が存在することを気づかせてくれました。今の仕事もある意味「編集者」です。このアート空間を編集しているのですよ。

Q. コラボレーションする上で大切にしていることとは？

A. 初期の頃から誰とコラボしても必ず得るものがあると思っています。あえて言うなら、若い人やマイノリティ、まだ世に知られていない新進気鋭のアーティストとコラボすることが多かったように思います。今もその気持ちは変わらないのですが、最近、気になるのはコラボ先が「同じ『言葉』を話す人かどうか」「コラボすることで時代に応えられるか」ですね。

友人に言わせると、これはストレスなく快適に過ごせる「コンフォートゾーン」を作ろうとしているということなんだそうです。たしかに周りの小規模企業を見ると、ただ自社を大きくするというより、外部で「同盟国」を探すケースが増加しています。その交流は同業者同士であることもあれば、異業者同士かもしれません。共通して言えるのは、もう独りで戦う時代は終わったということです。精神的な負担を捨て、柔軟性を保ち、企業間のコラボレーションに新たな刺激を求めることが重視されるようになってきました。外部のパートナーとのコラボレーションを成功させることは、自分のコンフォートゾーンを広げていくことでもあると思います。

Q. ご自身のライフスタイルについて聞かせてください。

A. 仕事とプライベートを分けるのは難しいですね。私は人と交流することで充実感を得るタイプなのです。自分と世界がつながった感覚に心地よさを感じる……とでも言いましょうか。最近ハマっているのはヨガです。ヨガを通して自分の体のコントロールを学ぶことで、自分の心の状態を把握する練習になっていると思います。今の私のライフスタイルで最も比重が高いのはやはり仕事です。すぐには変えられないですね。しかし未来には人として自然な姿を少しずつ取り入れていけたら良いなと思います。

Q. あなたにとって「文創」とは？

A. 私が携わるデザインやアート産業も、他の産業と何ら変わりはないと思っています。でもあえて言えば、アート産業にもより深いレベルで社会に溶け込んでほしいですね。迎合したり、ゴリ押しで売り出すのではなく自然な形で。それが文創の品格だと思います。

Q. 文創とあなたの仕事との関係は？

A. 私の仕事は非常に多岐にわたっています。1つのプラットフォームのようなものです。たとえば書店自体は決して前衛的な商売ではありませんが、ユーザーによる「読む」という行為はいつの世も失われることはありません。今、優秀なクリエイターが増えています。私はクリエイターとユーザー同士が親しめるようなプラットフォームを作っていきたいと思っています。

朋丁
ポンディン

ADD 台北市中山區中山北路一段53巷6號
11:00–20:00　毎月最終月曜日休

TEL +886(2)2537-7281

WEB https://pon-ding.com/

SNS 🅞 pondingspace

３ 台湾のイラストレーター・紅林 Hori b. Goodeの個展の開催記念トークイベントには多くの彼女の作品のファンが集まった。
４ 古い物件をリノベーションして建てられた朋丁。台北駅からも中山駅からも歩いて10分弱ほどの立地。

淦克萍

ガン クァピン

「種籽設計」アートディレクター

二十四節気を軸に
日々の生活を提案する

2002年にデザイン会社「種籽設計」を立ち上げる。もともと字を書くこと、絵を描くこと、手作りが好きで、現在は節気（旧暦の1年を24等分した季節の指標）の考え方を軸に、グラフィック、視覚伝達、ウェブ、マルチメディアなど幅広い分野を手掛ける。近年は森林管理などを主管する行政機関、林務局のカレンダーがデザイン性の高さから人気を博している。

デザインは「ストーリー」を語ること
土地と歴史が形作る私たちの記憶と味覚

Q. お店のコンセプトについて教えてください。

A. 種籽設計は、ストーリーを語ることからデザインを始めます。土地と、歴史や人文との関係を探求し、デザインの体験という包括的なサービスに発展させ、農業、林業、漁業、牧畜業に従事する顧客たちにソリューションを提供しています。

　最初の10年間は、節気文化と自然への探索を深め、デザインを通じて解釈し内容を開発することで、生活と命の節気を表現してきました。次の10年間では、節気を時間軸に、地域を空間軸に据え、異なるエスニックグループの料理も織り交ぜ、2019年には「果実食物設計研究院」を立ち上げました。

　研究院では、節気と食べ物に関する活動を行っていましたが、新型コロナウイルスの感染拡大で人々の生活が大きく変わったので、これからは屋外で農業や林業、漁業、牧畜業に関わるテーマで、大自然と触れ合う活動をやっていきたいと思います。田畑や森林、海、牧場などに場所を移し、節気と食べ物の関係を学んでいくようなものにしたいです。

Q. 仕事をする中で最も重視していることは何ですか？

A. 私たちは台湾という土地で節気の生活や思いへの印を探しています。デザインでブランドのイノベーションの研究やマーケティングを行い、物語的なマーケティングをし、体験できるデザインを創り出すのです。節気と飲食に関する商品やイベント、風土にあった手土産の開発などを得意としています。

　デザインには裏付けがなくてはならないと考えて

1 2017年の台湾文博會では、台湾の特別な食材を使用して地元の物語と精神を伝える「春天的家宴」を企画した。

2

います。われわれのデザインは実は、生まれてから成長する過程で味わった食べ物の記憶や栄養にさかのぼることができるのです。どんな仕事でも、この感覚に基づいて研究やデザインを行っています。

Q. コラボレーションの経験などはありますか？コラボする相手を選ぶ基準は？

A. われわれが奉仕する唯一のクライアントは、この「台湾」であるといえると思います。そして、そのための努力を続けています。生活の軌跡を通じて、エスニシティの問題を探索しています。イベントの企画でも本の出版でも、デザインや節気と食べ物を通じて、台湾への理解を深めたり、より多くの人に台湾を知ってもらったりしたいと考えています。これまで公的機関との連携はあまりなかったのですが、林務局との提携で注目されました。2018年の里山カレンダーに始まり、2019年の飲食の森カレンダー、そして今年の木作の森カレンダーなど、台湾にとってプラスになる意義のあることという思いでやっています。なので、今後も台湾の森林の生態系の多様

な価値を広めていきたいです。そして、デザインのパワーを発揮させることを前提に、互いに尊重し合い、同じ課題に共感を覚えている相手とコラボしたいです。

自然から学び、節気から飲食を理解する 台湾の食文化をアジアに、世界に広げたい

Q. ライフスタイルについてですが、趣味はありますか？

A. 読書、考えること、植物採集、そして食べること。好きな食べ物や飲み物に対して研究する態度を持ち続け、心で感じ、謙虚な態度で学ぶことを心掛けています。

プライベートでは、植物栽培をします。植物の勉強もします。あと、各地の旬の食材を探しに出かけたりもします。保存や発酵で長く楽しめる方法も研究します。それによって栄養が閉じ込められ、食材により豊富な味わいが生まれるからです。自然から学び、節気から飲食を理解するのが好きなんです。そして、食べ物のデザインを通じて調理法を活用し、節気に合わせた飲食の無限の可能性を引き出したいのです。

Q. 人生でどんなことに影響を受けましたか？

A. 息子の影響を最も深く受けていると思います。なので、生まれてきてくれたことにとても感謝しています。昔はインドア派で汗をかくのが嫌だったの

2 これまで二十四節気と食にまつわる書籍を多数出版。台湾の漬物に関する著書は日本語版も刊行されている（翔泳社刊『台湾漬 二十四節気の保存食』）。**3** 台鉄のラッピング列車「里山動物列車」では里山の生態系が描かれている。

ですが、自然と触れ合ったり、山を登ったり、水にもぐったりするのが好きな息子のおかげで、一緒に外に出るようになり、大自然や山、森の奥深さを知ることができました。環境保全や水資源などに関する自然体験イベントにも参加するようになり、息子が自身を変える最大の原動力を与えてくれたと言えるでしょう。命の在り方から、未知の全く新しい世界を学ぶことを教えてくれました。今は山や森が大好きですし、縁あって林務局と提携することもできました。これからは、デザインを通じてより多くの人に台湾の素晴らしい環境や資源を知ってもらいたいです。

Q. あなたにとって「文創」とは？

A. 需要と供給は合っていなければなりません。文化創意産業の消費者がいなければ、文化創意産業も成り立たないと思います。

Q. 文創と今の活動の関わりについて聞かせてください。

A. 「種から種まで、その過程は全て森で起こる」―このコンセプトの下、台湾がもたらしてくれるインスピレーションで自分たちだけのスタイルを構築し、デザインや企画を行っています。

Q. 今後の展望は？

A. 果実食物設計研究院では台湾の農業を集結させ、この土地の食物連鎖の拡充に足並みをそろえたいです。1つの点からより多種の農業からも共感を得られれば、人々に異なる品種や技術から生まれたそれぞれの味を楽しんでもらえるはずです。それによって、中華圏の人々の料理がアジアや世界とつながればと思います。

台湾の「節気食」を本の出版などを通じて広げていきたいです。今年は日本の出版社と来年のカレン

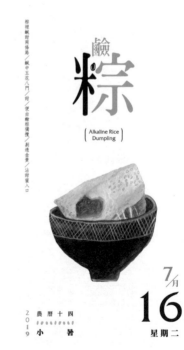

4 日めくりで節気ごとの植物が紹介されている2018年のカレンダー『植物暦』。**5** お米を使った料理のイラストを載せた2019年のカレンダー『米暦』。

ダーを発行します。また、台湾の調味料について紹介した書籍の日本語版も出版予定です。節気や風土の多元なパワーを凝縮させ、「節気食」をアジアの文化として、欧米のスローフードと並ぶものにできればと思います。それで、欧米とアジアの飲食の価値をつなぎたいと願っています。

種籽設計
ヂョンズーシァジー

ADD 台中市北區梅亭街428號＋430號

TEL +886(4)2208-5548

SNS @seeddesign（種籽設計）
@seed.growth.lab（果実食物設計研究院）

❻

❻ 里山の動物たちが描かれている2019年の林務局のカレンダー。

無事三姐妹

ウーシーサンジェメイ

「無事生活」オーナー

伝統を感じる
茶、花、アートの
ある場所

活版印刷業に70年従事している職人肌の父と、その娘3人が営む茶芸館＆アートスペース。長女がアート、次女が茶芸、三女が華道とそれぞれの得意分野を生かし、茶芸館の中でさまざまなイベントを開催。品質の良いお茶はもちろん、独特の美的感覚で造られた空間と、三姉妹がセレクトした茶道具、陶芸品なども人気を博している。イラストは三姉妹を代表して、長女の呉曉慧。

中華の伝統を現代的にアレンジしたが
文創といわれたのは意外な分野だった

Q. 現在のお仕事について、内容やコンセプトを教えてください。

A. 父と三姉妹が共同で開いた茶芸館です。活版印刷、茶道、華道、展示型の茶芸館、と家族それぞれの専門分野は違いますが、できることを組み合わせることで、協力して運営しています。一言でいうと、中華の伝統的な文化を探求し、現代の人にも理解できる方法で新しく解釈したブランドです。

　茶芸館で提供しているお茶の70％は自然栽培された台湾産茶葉。お茶を飲んだり、選別したりといった台湾茶文化を体験できるようになっています。茶葉も茶道具もすべて私たちが厳選して、自信をもってお客様に薦められるものばかりです。五感を通して美しい道具や清潔なお茶、芸術的な華道のしつらえなどを感じることで、心と体がゆっくりとくつろげる空間になっています。

　また定期的に生け花の教室を開催しています。四

1 毎シーズン発売される台湾茶のギフトボックス。次女による選りすぐりの3種類の茶葉が楽しめる。**2** 店内には三女の生ける四季折々の花が飾られる。生け花の教室も定期的に開催されている。

季折々の花を選んで、自分の手で生ける過程を通して、自分の心と向き合ってもらう教室です。ほかにもオーダーメイドのフラワーアレンジメントや華道に関するイベントも行っています。

茶芸館にはもうひとつ面白い趣向があって、地下1階が展示スペースになっているので、ここでも定期的に展覧会を開催しています。陶芸、絵画、写真など世界各地からアーティストを招いて、お茶を楽しむだけでなく、芸術家がお客さんと触れ合う場所にもなっているんです。

Q. 仕事をするうえでのマイルールは？

A. 茶芸館を開いて5年以上経ちますが、実はまだ正式なオープンにはいたっていません。試運転のつもりでスタートしたら、あっという間に5年が過ぎてしまいました。でもまだ理想の状態に到達したとは思っていません。もうひとつ重要なのは、仕事をする中で、自己意識を磨くということ。日々の仕事をすることでたくさんの思いや考えが浮かんできます。忙しい日々の中で、いかに自分のそうした考えや思いに気づけるか、ということです。

Q. 他ブランドや他業種とコラボレーションするとき、相手に求めることは？

A. 普段茶葉や花を選ぶときは、環境に優しい有機栽培の、善良な農家さんに依頼しています。単純に無事生活のフラワーアレンジメントが好きだというブランドとコラボレーションしたこともあります。

茶文化は大企業から小さなお店までさまざまなブランドがあり、分野や国境を越えたコラボレーションが可能です。私たちも香港の饒宗頤文化館と、茶、花、琴に関するワークショップを6年連続で開催しました。

Q. あなたにとって文創とは？

A. 中華の伝統的な文化を探求し、自分の中で消化した後、現代の人にも理解できる方法で新しい解釈を加えるということだと思います。

私たちの提供する茶芸や生け花のスタイルも、現代人に合った方法にアレンジされています。現代の手法で東洋的なフラワーアレンジメントを製作し、教室では昔の文献を使いながら、現代の生け花につ

いての創作概念を伝えています。ただ、どんなに現代的になっても、ほとんどの人は茶芸や生け花を一種の古風な、ノスタルジックな生活スタイルだと考えていたと思います。

ところがオープンから数年後、私たちは父の伝統的な活版印刷が若者と交流するひとつのプラットフォームになればいいと思って、茶芸館の中に古い道具や機械を持ち込んで、作業台を作ったんです。すると、一番古めかしくて、何もアレンジしなかった本格的な活版印刷が、結果的にみなさんが言うところの文創産業となりました。これは意外でしたね。

Q. 今後の展望について教えてください。

A. 艋舺（龍山寺のあたり）に古い自宅があるのですが、隣の寺院が火事に見舞われ、修理中なんです。そこに戻って新しい実験的な空間を作り、営業したいですね。

無事生活
ウーシーシォンフォ

ADD 台北市信義區呉興街461號
水～日：13:00-20:00　月火休

TEL +886(2)2720-5070

WEB http://www.caketrees.com/

3 地下1階では長女のキュレーションしたアート作品が展示される。世界各地のアーティストと来場者の交流の場にもなっている。**4** 70年近く印刷業に従事している三姉妹の父による活版印刷のワークショップには、その技術を見たいと多くの人が集まる。

Miki Wang

ミキ ワン

「小福印刷」創業者
「PAPERWORK」ブランド共同設立者、活版印刷技師

美しい紙と
昔ながらの印刷技術で
唯一無二の文具を
作り出す

「PAPERWORK」は活版印刷に魅せられたMikiによる紙文具ブランド。その商品は活版印刷独特の手触りと温かみが人気だ。Mikiは「美しい紙」「現代のデザイン」そして昔ながらの印刷技術である「活版印刷」を組み合わせることで、唯一無二の商品を世に送り出し、台湾における活版印刷の振興に力を注いでいる。

活版印刷に魅せられて
日本ブランドとも積極的にコラボ

Q. ブランドのコンセプトを教えてください。

A. 2001年に印刷会社「小福印刷」を設立し、2015年にデザイナーの林宜蓁と様々な印刷技術と紙の知識の普及を理念とする「PAPERWORK」を立ち上げました。PAPERWORKの事業は主に2つです。印刷の請負い、そしてオリジナル紙製文具の製造・販売です。現在、台湾の活版印刷工房として最も多くオリジナル商品を発表しています。

Q. 仕事に対してマイルールはありますか？

A. ディーター・ラムスが提唱する「いいデザインの10カ条」の「デザイン」を「印刷」に置き換えたのが仕事のマイルールです。工房内には「mise en place（下準備）」「整理整頓」「God is in the details（神は細部に宿る）」の標語も貼っています。また「細部には悪魔も宿る」とも考えていて、作業には細心の注意を払い、最高の仕上がりを目指しています。

Q. 過去の仕事経験が役に立ったことは？

A. 以前、私はホテルのレストランでソムリエを務め、食事に合うワインの提案をしていました。今の仕事でも重要なのは、商品のために最適の紙と印刷技術を組み合わせることです。また紙博物館で美術デザイナーをしていたとき、それぞれの紙が持つ物語と表情を理解したことが、今の商品企画のアイディアに生きていると思います。

Q. コラボ先を決めるのにルールはありますか？

A. 活版印刷特有の凸凹が残る手触りは、商品にオリジナリティを与えます。誠品書店とのコラボは、

1

1 店内には活版印刷を使った商品販売スペースと、実際の印刷作業をする工房が併設されている。

活版印刷ブランドが知られる良い機会となりました。

また2018年には日本の「九ポ堂」「緑青社」と共に雑貨店「手紙舎台湾店」内に体験型の活版印刷工房を作りました。日台の印刷の作業方式は異なるため、私自身にも発見がありました。2019年に日本のブランド「SOU・SOU」とのコラボで実施した布地への印刷は、私達にとっても新しい試みでした。

Q. 同時代もしくは同世代で気になる台湾ブランドはありますか？

A. 「有家攝影」「RICOR Photography」「MOOM Bookshop」「琅茶 Wolf Tea」です。彼らの持つ価値観とブランドの在り方には共感するものがあります。

Q. Mikiさんに強い影響を与えた人物や作品はありますか？

A. 私に強い影響を与えたのは映画『世界一美しい本を作る男―シュタイデルとの旅―』です。映画ではゲハルト・シュタイデルの本作りの過程が全てが披露されました。この映画から学んだのは、「物事に一心に取り組むこととは、自分で設定した高いハードルを越え大きな成長を得ること」ということです。またシュタイデルの「全ての本は印刷の芸術であるべきだ」という言葉も印象的でした。

Q. あなたにとって「文創」とは？

3

A. 文創だけでなく、文化、芸術等の解釈に、全ての文化人を納得させるものはないでしょう。しかし、文創が文化を代表することは確かです。

Q. 文創とあなたの仕事との関係は？

A. 印刷は私にとって単なる仕事ではなく、心から愛するものです。衰退していた台湾の活版印刷は、今人々の努力のおかげで注目されつつあります。伝統的な印刷技術と現代のデジタルデザインを組み合わせることで、斬新で精緻な紙製品が完成します。私も少しでも貢献し、台湾の伝統的な印刷産業がより良い方向に発展していくことを切に願っています。

Q. 昨今の台湾について思うことはありますか？

A. 新型コロナウイルス対策の成果により、国際社会において台湾の姿を見ることが増えました。今年の台湾の連帯感は特に強く、国民の自信も高まったように思います。そして産業界も台湾のために力を発揮できる日を待っています。今はつい景気の悪さに目がいきますが、私は今こそ会社を組織しなおし、足並みをそろえる絶好の機会だと思っています。

Q. 今後のビジョンを聞かせてください。

A. 私はPAPERWORKを台湾を代表する活版印刷による文具ブランドに育て上げたいですね。また将来的にはPAPERWORKと小福印刷の実績を組み合わせ、精緻で芸術品のような印刷サービスを展開したいです。

PAPERWORK

ADD 台北市萬華區莒光路254號
水～金：13:00-18:00　土～火休

TEL +886(2)2302-6599

WEB https://www.paperwork.tw/

2 活版印刷の見本帳。紙による刷り上がりの違いから、出来上がりをイメージできる。**3** 京都のテキスタイルブランド「SOU・SOU」とのコラボで実現したノート。**4** 活版印刷には、ドイツにある印刷機器の世界的メーカー・ハイデルベルグ社製の機械を使用している。

連紫伊

リェン ズーイー

「以覺學」創業者、デザイナー

確かな直観から
生まれるジュエリー

148

CCA MFA DESIG（カリフォルニア芸術学院）でデザインを学んだ連紫伊は、工業デザイナーとしてのキャリアを積んだのち、原点だった金属工芸に立ちもどり、若くして自分のアクセサリーブランドを立ち上げた。伝統的な東洋文化と現代的なデザインを融合させた、サスティナブルな商品展開のほか、金属加工の技術を伝える仕事にも力を注いでいる。

本物のデザイナーは市場を牽引し
芸術とビジネスのバランスを保てる

Q. 現在のお仕事について、内容やコンセプトを教えてください。

A. 2015年に立ち上げた金属工芸を専門とするジュエリーのブランド「以覺學」のオーナーとしてデザインも手掛けています。「以覺學」は永続性と文化的価値があり、オリジナルのコンセプトを持ったブランドを目指しています。原材料選びから、生産、デザインはもちろん、マーケティング、販売、アフターサービスまですべての過程に責任を持ち、真心を込めて提供しています。

　個人的に「直観」という言葉がすごく好きなんです。工芸というのは、製作の過程で何度も失敗を重ねることで、職人としての直観を養うことができるんです。この直観というのはデジタル化することができないものです。言葉では言い表せないけれど、どうすればいいのかわかる、それが「直観」です。

　ブランドの名前もそこから取っていて、「以覺學 intzuition（インツイーション）」のintuitionの意味は「直観」。そこに私の名前「紫伊（Tzui）」の音を結びつけて名付けました。「直観的な哲学で生活

1 ジュエリー作成に欠かせない工具の数々。**2** 南京復興駅が最寄りの本店では、アクセサリー作りのワークショップも体験できる。

のコンセプトを語るブランド」という意味を込めています。

Q. ブランド立ち上げまではどのような仕事をしていたんですか？

A. ずっと芸術として金属ジュエリーの世界を学んでいたのですが、この業界に期待が持てずに研究所で方向転換をして、アメリカに行ってCCA MFA DESIG（カリフォルニア芸術学院）で工業デザインの勉強をしました。CCAを卒業後、さまざまな企業でプロダクトデザインやブランドデザイナーとして働き、仕事をしながらコンペティションに応募していたんです。卒業制作としてデザインを考えたパブリックスペースの企画デザイン案「舊金山：會說話的城市（サンフランシスコ：会話する都市）」が評価されて、幸いにも台北デザインアワードの金賞を獲得しました。これをきっかけに数年はパブリックアートの道を進んでいたのですが、自分でも意外なことに貴金属工芸の世界に戻り、2015年にブランドを立ち上げることなりました。もちろん、商業デザインやマーケティングについても、アートを追求するという部分においても、これまでの経験が生きています。

Q. 仕事をするうえでのマイルールは？

A. 芸術とビジネスのバランスを取るために、本物のデザイナーというのは市場を引っ張っていく先駆者になるべきだと思っています。芸術性の高い作品はわかりやすく売り上げが伸びないけれど、細く長く続けていく。ブランドの知名度と商品価値が一気にブレイクしたら、それは芸術とビジネスのバランスが取れたということだと思います。

Q. あなたにとって文創とは？

A. この言葉はいま、ある決まった市場を表しているかのように、まるで流行にかけられた看板のようになっています。でも重要なのは、自分たちの文化を、台湾発ブランド特有のデザインスタイルに変換することだと思います。文化を再生することでエネルギーを生み出すことのできる作品こそ、文創といえるのではないでしょうか。

Q. 今後の展望について教えてください。

A. デザイナーが生み出すプロダクトは、消費者との相互作用を生み出す可能性を持っています。この作用には、生活や思想面での変化をもたらす力があります。もしデザイナーが美と同時に醜悪を創り出しているとしたら、もしもサスティナブルな視点を持っていなかったら、それは社会にとって重荷となります。今後の以覺學にとって重要なのは、まず環境汚染の共犯者にならないこと、さらに消費者に金属についてもっと知ってもらうこと。どの金属も空気や湿気と触れることで多彩な色に変化する、そのすばらしい時間の積み重ねについて知ってもらいたいと思います。

以覺學／ intzuition
イージァオシュエ

ADD 台北市中山區遼寧街19巷23號
木〜月：11:00-19:00　火水休

TEL +886(2)2752-3663

WEB https://www.intzuition.com/

3 2019年、フランス・パリで開催される国際的なインテリア見本市、MAISON & OBJET PARISに出展。**4** 書道芸術を銀細工で解釈した墨摺シリーズのアクセサリー。

曽志偉

ツォン ヂーウェイ

「自然洋行建築設計團隊」デザインディレクター

人々が大自然と
つながりを持てる
空間をデザインする

1973年、台湾生まれ。幼少期をパラオで過ごす。2003年からバリ島に通い、建築環境に関するフィールドワークを行うようになる。同年に自然洋行建築設計團隊を創設。2014年にはフィールドワークから空間デザイン、経営方針の策定まで担う少少-原始感覚研究室も立ち上げ、環境や目的に合った空間を創り出している。

バリ島で15年に渡るフィールドワーク
吸収したことをデザインに生かす

Q. お店のコンセプトについて教えてください。

A. 自然洋行は2003年に設立しました。オフィスは台北の景勝地、陽明山の裏にあります。デザインでは、建物と環境、感覚などさまざまな要素を複合的に考慮し、完全な空間になるように心掛けています。これまで手掛けたプロジェクトには、歴史的建築の改造や新たな形式の研究機関、実験的な住宅空間、宿泊施設などがあります。2014年以降は軽量素材や異素材構造の探求、またその運用や発展の可能性なども探っています。

Q. 仕事をする中で最も重視していることは何ですか？

A. 重視しているのはおそらく、チームのメンバーとプロジェクトの初期段階で構想を練ったり、概念に対する探求を深めたりすることですね。デザインを作る最も初期の段階で、少しでも重要なメッセージや可能性を探りたいと考えています。

Q. これまでの経歴について教えてください。

A. 個人的な興味から、バリ島でフィールドワークを続けて15年くらいになります。バリ島で接した環境や調査から学んだことは、台湾の基礎や人、文化にも通じるところがあると思います。生活やデザイン、信仰への理解を深めることで、台湾で引き受けた案件に生かせればと考えています。

Q. コラボレーションの経験などはありますか？

A. 自然洋行のメンバーは、視覚、工芸、企画、建築、室内デザインなど異なる専門領域がつながることで成り立っています。なので、内部で仕事を進めるその形がチーム全体の統合と領域をまたぐ状況を生んでいると思います。

Q. 注目している人はいますか？

A. 近代の思想家や芸術家、科学者からなるチーム、あるいはさまざまな展示を通じて物事の全体像を表現しようとするチームは学んだり、注目したりするに値すると思います。異なる考えや専門領域を持った人たちが一緒に企画し、内外に向けてあるト

1 鋳造事業に始まり、現在は不動産開発も手がける台湾の勤美グループが自然洋行に依頼し、苗栗県で始めたプロジェクト「森大 The Forest BIG」。豊かな自然との融合によって生まれた空間で、さまざまなワークショップが開かれる。

ピックについて発信するというのは、建築がもたらす、より広義での価値を完全な形で表現できるからです。

創作者にとって重要なのは、何を感じるか
人々の探索や理解が深まる空間づくりを

Q. ライフスタイルについてですが、仕事とプライベートは分けていますか？

A. 仕事と生活は特に分けていません。どんな出来事もそれは生きた経験になるので、違いはないと思っています。

Q. 影響を受けた人はいますか？

A. 台湾原住民、パイワン族の偉大な芸術家、Sakuliu Pavavalungさんは非常に尊敬しています。彼の成し遂げるあらゆることは集落に対する理解に基づいています。彼は20年にもおよぶフィールドワークを通じて、建築や人文、物、生活のすべてに関する非常に細やかな記録を行いました。彼の思想や芸術創作、そして集落に学校を作る計画などは全て、現代に生きる人々に示唆をもたらすと思います。

Q. あなたにとって「文創」とは？

A. 創作やデザイン、あるいは生活用品の創造が

そんなに重視されない時代で、創作者にとってより重要なのは、時代全体の中で革新的な命題とは何か、そして個人は何を感じるかということです。また、自身が信じていることは、創作された理想を通じ、できあがったものとしてまた個人の感覚の中に回帰します。そして一人一人の関心が全体を作っていくのです。

Q. 文創と今の活動の関わりについて聞かせてください。

A. われわれの仕事は、建築環境における表現と実質的な空間の構築です。そして、建築の中で起きた出来事を通じて、人々に探索や理解を深めてもらいたいと思っています。

少少-原始感覚研究室で言えば、それは香りや食べ物、生活、展示、植物、生き物だったりします。そ

2 洗練されたティータイムを提供する「smith&hsu 現代茶館」。パルプを使用した大きなシャンデリアからは柔らかな光が広がる。**3** 忙しい都市生活から一時的に逃れるための避難所としてデザインされた「可持續性山上住宅」。その名の通り、サスティナブルな生活を送るため、さまざまなシーンに応じて柔軟に空間を組み合わせて使用できるようになっている。

れは人類科学において異なる様々なプラットフォームで、人々が大自然とつながりを持てる場を提供しています。そして、それぞれの領域で最終的に記録を作ってもらい、未来のデザインや企画の参考にできる要素として還元されるのです。

Ｑ. 今後の展望は？

Ａ. チーム内のそれぞれのメンバーが、ここでの連携や建築環境への深い理解を基に、それぞれの理想に向けて努力をゆっくりと続けてもらいたいと思います。

自然洋行建築設計團隊
ズーランヤンハンジェンヂュシェアジートァンドゥイ

WEB http://www.divooe.com.tw/index.html

SNS @divooe

少少 - 原始感覺研究室
シャオシャオ ユェンシーガンジャオイェンジゥシシー

WEB https://siusiulab.com/

SNS @Siusiucreate

━ 2014年に立ち上げた少少 - 原始感覺研究室の扱う領域はフィールドワークから空間デザイン、経営方針の策定まで多岐にわたる。農業で使われるネットハウスを活用した施設では、都市生活と自然がシームレスに移行し、原始的な感覚が呼び覚まされる。

顔社／KAO!INC.

台湾インディーズ音楽に
多くのスポットライトを

一部のポップミュージック以外、なかなか聴く機会の少ない台湾音楽。
台湾ヒップホップの立役者・顔社の迪拉胖氏に台湾音楽の特徴と今後の動向について伺った。

Q. 顔社の活動などについて教えてください。

A. 顔社／KAO!INC.は私が大学を卒業してから始めた最初の仕事です。台湾でインディーズの音楽環境を作ろうと思ったんです。そして、より多くの台湾人にヒップホップミュージックを知ってもらうためには、ヒップホップのミュージシャンとアーティストだけでなく、それらをバックアップするレーベルも必要だと。台湾で初期のインディーズな音楽カルチャーといえばロックです。ただ、15年くらい前に台湾ヒップホップの黄金世代が出現したんです。

迪拉胖 ディラ パン
「顔社／KAO!INC.」創業者

2005年、台湾でヒップホップレーベル「顔社／KAO!INC.」を設立する。その慧眼で「蛋堡／Soft Lipa」「国蛋（GorDoN）」「李英宏 aka DJ Didilong」「LEO王」「春艶」と、「サイコキャッツ」などの型破りなラッパーを見出した。ルールにとらわれることなく、インディーズとメジャーの音楽シーンを行き来し、次世代のラッパーたちをプロデュースし続けている。

「頑童／MJ116」「瘦子／E.SO」「蛋堡／Soft Lipa」「大支／Dwagie」は私と同世代で年齢もあまり変わりません。台湾の北・中・南の別々のエリアで音楽活動をしてきましたが、時には一緒にステージに出演するなど刺激を与えあってきた仲間でもあります。私は彼ら黄金世代とともに、台湾ヒップホップカルチャーの立ち上げに加わることができたのです。

顔社はレコード制作だけでなく、多くのイベントも企画しています。2018年、台湾でヒップホップイベントを実施するのですが、まず初めに企画したのは台湾ヒップホップについての書籍の制作です。その後、華山1914文創園區で「嘻哈団 TAIWAN HIP HOP KIDS」という展示イベントを実施しました。顔社の他に、大支が率いる「人人有功練（Kung Fu Entertain-ment）」、MC Hotdogをメインとする「本色音樂（True Color Music）」、台中の新興勢力「混血兒娛樂（Ainoko Music）」など台湾を代表するヒップホップレーベルが手を組んで話題となりました。

このような取り組みの発想の多くは日本のカルチャーに影響されているかもしれません。日本はさまざまなカルチャーの小さなジャンルであってもそれをテーマに非常に深く掘り下げられた書籍があります。顔社の1階はカフェで、地下にはレコードショップがあります。これも日本に旅行に入ったときに見た光景に影響されています。

Q. 台湾の音楽シーンについて教えてください。

A. 日本人に台湾の音楽シーンについて話すなら

ば、台湾の音楽賞のことをお話ししましょう。台湾には、台湾のグラミー賞と呼ばれる「金曲奬」とアーティストの創造性にフォーカスした「金音創作奬」があります。金曲奬は台湾中国語、客家、閩南語、原住民の言語など細かく分かれており、台湾でメジャーな音楽の指標となっています。台湾では、「五月天」や「四分衛」などバンドブームの黄金世代が現れて、聴衆の心をつかんでいきました。その結果、伝統的でメジャーな音楽のノミネートが多かった金曲奬にロックバンドを対象とした賞がつくられたりしました。そこから、台湾のロックは社会的に大きな影響を与えていきました。今から15年くらい前、ヒップホップカルチャーが根付き始めましたが、金曲奬にヒップホップを対象とした賞が創設されることはありませんでした。ただ、もう一つの音楽賞、金音創作奬が生み出され、インディーズミュージシャンたちに多くのスポットライトが当たりました。

Q. 台湾音楽の特徴について教えてください。

A. 一言で言うのは難しいですが、中国語の使い方はとても面白いと思います。特に、ラップミュージックは韻を踏むことや、言葉の配列が重視されています。日本語と韓国語のラップは語尾が母音になることが多いですが、中国語の語尾は母音だけでなく子音もありますので、韻を踏む上でのさらに多くの変化をつけることができます。また、台湾の民族性も多元的で多様なインディーズ音楽を生み出すのに向いているかもしれません。例えば、日本でもファンの多いインディーズバンド「落日飛車」。スローテンポで叙情的な曲を英語で歌っていますが、中流階級で育った子どものロマンチックで、ちょっと反抗したいといった感情が感じ取れます。

その反面、台湾音楽が海外で受け入れられるのは難しいところもあるでしょう。ただ、世界中の人々がSNSなどを通じてオリエンタルなものに興味を持っています。音楽のジャンルによっては受け入れやすいです。例えば、「滅火器」のようなパンクや「閃靈樂團」のようなメタルには言語の壁はほとんどありません。

Q. 今、注目している台湾カルチャーのキーパーソンは誰ですか?

A. 新しい黄金世代として注目しているのは「ØZI」や「9m88」です。彼らはルックスが優れていて、パフォーマンスも素晴らしく、ブラックミュージックの文化を台湾のヒップホップカルチャーに取り入れてわかりやすく表現しています。他にも、台湾R&Bレーベル「ChynaHouse」の「吳卓源」、ちょっと奇抜なヒップホップ・クルー「黃嬉皮」も注目です。

Q. 台湾音楽の未来はどうなると思いますか?

A. 台湾だけではありませんが、音楽を取り巻く環境は大きく変わっています。そのスピードもとても速いです。2年もすると大きなアップデートが必要です。ただ、台湾人は変化や進化、いろいろなものを結びつけることが得意です。顔社も変化の中でも、台湾の音楽とカルチャー、クリエイティブを世界に向けて発信していきたいと考えています。

顔社／KAO!INC.

ADD 台北市松山區富錦街346號1樓
TEL +886(2)2765-5000
WEB https://kao-inc.com/
SNS 🅕 @kaoinc 🅞 kao_inc

1 顔社が主催した三日間の音楽イベント「大黒熊音樂祭／Daikuma」。**2** 華山1914文創園區で開催された展示イベント「嘻哈団 TAIWAN HIPHOP KIDS」。

変化を捉え続け、台湾と日本を
文化交流でつなぐメディア

2019年に「地方創生元年」を迎え、2020年には新型コロナウィルス対応で
世界中からの注目が集まっている台湾。WEBマガジン「初耳」の代表として台日の文化交流に、
イベントやメディアで深く関わる小路輔氏にこれからの台湾との関係について話をお聞きした。

Q. 台湾のWEBマガジン「初耳／hatsumimi」の活動などについて教えてください。

A. 「初耳／hatsumimi」は、台湾の読者に向けて台湾や日本のライフスタイルやカルチャーを発信するWEBマガジンです。WEBマガジンで取り上げたコンテンツを集めてイベントなども実施しています。台湾最大級の台日カルチャーイベント「haveA nice Festival（Culture & Art Book Fair、Culture & Coffee Festival）」のオーガナイズ、日本国内で8万人以上を集客する台湾カルチャーイベント

小路輔　こうじ たすく
「初耳／hatsumimi」代表

1979年埼玉県生まれ。2002年よりJTBグループでインバウンドやビジットジャパン関連の業務に従事する。2012年よりスタートトゥデイ（現ZOZO）にてZOZOTOWNの海外事業を手掛ける。2014年にFUJIN TREE TOKYOを設立、2019年に朝寝坊屋（創業70余年）を事業継承する。日本と台湾のカルチャーやライフスタイルの交流をテーマに活動中。

「TAIWAN PLUS」のプロデュースなどです。私たちのWEBマガジンやイベントは「台湾人目線」を常に意識しています。例えば、東京で開催した日本人に台湾の魅力を発信する「TAIWAN PLUS」というイベント。台湾から50以上のブースが上野公園に集結したのですが、その多くが台湾で話題になっているブランドです。「タピオカミルクティ」「マンゴーかき氷」「ルーロー飯」といったメニュー名の看板のブースではなく、「香蘭男子電棒燙」「佔空間 本冊圖書館／Artqpie Library」「福灣巧克力 Fuwan Chocolate」「糯夫米糕」など、台湾で開催されているカルチャーイベントでも行列となっているブランドを集め、音楽ライブも阿爆や9m88、李英宏 aka DJ Didilongなど台湾でも人気のアーティストが参加しました。

WEBマガジンも同じです。例えば、長崎県の波佐見焼の記事。波佐見町を取材してWEBマガジンに記事を掲載しただけでは、台湾人にその魅力を十分に伝えられません。そこで、台湾で影響力のあるレストランやカフェなどに波佐見焼に合うメニューを「台湾人目線」で開発してもらい、それも記事にして掲載しました。波佐見町を取材した記事よりも大きい反響があり話題となりました。先月、そのシェフが台北市内に新しいレストランをオープンしたのですが、店舗で使用している食器の多くは波佐見焼です。最近は、日本の中央省庁や地方自治体とコラボレーションする案件も多いのですが、「台湾人目線」

1 プロデュースした台湾カルチャーイベント「TAIWAN PLUS」は上野公園で開催され、8万人以上を動員した。**2** 常に台湾人の目線を意識し、台湾人シェフが作った長崎県の波佐見焼に合う料理を紹介した記事には大きな反響があった。

156

純台味領路

香蘭男子的涼夏台南

21世紀的名古屋精神

四家選店＋動物園

初耳的
藝術家
朋友

Puzu & Zohiey

黑色心事，
再製成青春紀事

vol
1

旅行與咖啡
in 日本東北 (上)

道地九份

を意識した施策を実施すると台湾人のリアルな反応が感じられます。

コロナ禍では、台湾と日本の行き来だけでなく台日カルチャーの交流もストップしてしまっています。そこで、今夏、私たちはひとつのチャリティーイベントを実施しました。台湾と日本のデザイナーやイラストレーターなど18人がひとつのテーマでTシャツをデザインして、それを台湾と日本で販売するという企画です。「相着対策〜面会準備中〜」というタイトルで「遠く離れている場所で同じTシャツを着ることが、また次に会う約束となったら」と思って実施したのですが、台湾では有名なアーティストやモデルが着てくれたり、蔦屋書店（TSUTAYA BOOKSTORE）全店舗でPOP-UP販売をするなど予想以上の反響に驚いています。初耳／hatsumimiでは、このように台日カルチャーの灯を消さない活動もしています。

Q. 日本人からみる台湾カルチャーの特徴を教えてください。

A. 台湾カルチャーの特徴のひとつは「組み合わせ」。台湾で話題となるコンテンツは、台湾カルチャーのキーパーソンと呼ばれる人たちが手を組んで仕掛けているケースがほとんどです。しかも、それがうまくいったとしても次はまた異なる組み合わせでコンテンツをつくります。

熱しやすく冷めやすく飽きっぽいと言われる国民性もありますが、SNS（InstagramやFacebook）などの情報拡散装置が生活の一部となっている台湾では、常に変化していくコンテンツからの新しい刺激が求められています。

「スピーディーに、フレキシブルに」
変化に素早く対応できるのが台湾の強み

Q. 今、注目している台湾カルチャーは何ですか？

A. 私は台湾のデザインやミュージック、映画なども好きなのですが、いちばん注目しているのは「地方のコンテンツ」です。台湾では2019年が「地方創生元年」とされ、地方のコンテンツをさまざまな方向から磨き上げています。特に、台湾の文化部主催イベント「台湾文博会（Creative Expo Taiwan）」のために作られたガイドブック「本地 The place」は、日本の地方自治体などのお手本となるような一冊です。台南や台東、屏東など台湾の地方の魅力を、地元の人の視点から切り取りまとめています。地方創生元年の前後には、日本の地方創生のキーパーソンたちが台湾でトークイベントしたり、彼らの書籍が翻訳されて発刊されたりしていました。そこから得たノウハウやナレッジに台湾らしさを加えながらアレンジしてコンテンツに落とし込んでいます。そこには、その地方のデザインやクラフト、音楽、食、ライフスタイルなどすべてが詰まっています。今後、日本から台湾に行けるようになったときには、台湾の「地方のコンテンツ」にハマる日本人もたくさん出てくると思います。

Q. 日本と台湾カルチャーの違いや変化していることはありますか？

A. 私は10年くらい前から東京と台北の二拠点生活をしているのですが、当初のノートには「日本は計画を立てて最後まで丁寧に。台湾は計画を立てずに途中まで雑に。」と書いてあります（笑）。特に、ビジネスにおいてはこのギャップでトラブルになることも多いです。

ただ、台湾の新型コロナウィルスの対応を目の当たりにして「計画を立てずに途中まで雑に」は「スピーディーに、フレキシブルに」という言葉に置き換えられるのではないかと思うようになりました。時代の変化に素早く対応していきながら、コンテンツを組み合わせて、台湾らしさを発信していく。私たち日本人がヒントにすべきことがここにあるかもしれません。

初耳／hatsumimi

WEB https://hatsumimi-mag.com/

SNS 🅕 @hatsumimi.mag

🅞 hatsumimi.mag

3，6 台日のクリエイターがTシャツをデザインしたチャリティーイベント。「初耳的藝術家朋友」の記事で紹介したPuzuとZohieyも参加している。**4，5，8，9** 台南、名古屋、東北6県、九份など、初耳の記事では日本と台湾のまだ知られていない情報を数多く紹介している。**7** 台南のU.I.J Hotel（P068）で開催された台日カルチャーイベントもプロデュースした。

STAFFS

PRODUCE	Tasuku Koji（初耳／hatsumimi）
COORDINATE	Dayday Chen（初耳／hatsumimi）
ART DIRECTION AND DESIGN	Keiko Murate（TE KIOSK）
TRANSLATION	Yang Tao
	Kiki Yang
	Meg Sawai
COPY AND TEXT	Jun Hatsuumi（namiuchigiwa）
ILLUSTRATION	漫。熱 Un Flâneur en Montgolfière
PROMOTION	Yusuke Goto（Two Virgins Co., Ltd.）
SALES	Chiyuki Sumitomo（Two Virgins Co., Ltd.）
EDIT	Yoshihito Saito（Two Virgins Co., Ltd.）

2020年10月27日　初版第1刷発行

発行者　　内野峰樹

発行所　　株式会社トゥーヴァージンズ
　　　　　〒102-0073 東京都千代田区九段北4-1-3
　　　　　TEL: 03-5212-7442 FAX: 03-5212-7889
　　　　　https://www.twovirgins.jp

印刷・製本　藤原印刷株式会社